hiwmor

IDRIS a CHARLES

CYFRES TI'N JOCAN

hiwmor
IDRIS a CHARLES

Idris Charles

Argraffiad cyntaf: 2007

Rhif Llyfr Rhyngwladol: 978 18477 100 24
ISBN-10: 1847710026

Mae'r cyhoeddwyr yn cydnabod cymorth ariannol
Cyngor Llyfrau Cymru.

Cyhoeddwyd, argraffwyd a rhwymwyd yng Nghymru
gan Y Lolfa Cyf., Talybont, Ceredigion SY24 5AP
e-bost ylolfa@ylolfa.com
gwefan www.ylolfa.com
ffôn (01970) 832 304

Cyflwyniad

Dydw i ddim yn ffan mawr o lyfrau jôcs. Wel dyna beth od i'w ddweud a minnau wedi sgwennu un, ac am i chi, yn eich miloedd, ei brynu! Na na, be dw i'n ei ddweud ydy nad ydw *i* yn ffan mawr o lyfrau jôcs, hynny ydy mae'n well gen i *glywed* jôc yn hytrach na'i darllen. Dyna pam ei bod hi'n hanfodol bwysig fod jôc yn cael ei disgrifio'n dda mewn print ac yn cael ei dweud yn dda ar lafar. Cofiwch hefyd, dydy pob jôc ddim yn siwtio pob synnwyr digrifwch. Does 'na ddim byd gwaeth na chlywed digrifwr yn trio dweud jôc dda, a honno ddim yn siwtio'r sefyllfa, yr awyrgylch, na'r math o gynulleidfa. Wedyn maen nhw'n methu dallt pam does 'na neb wedi chwerthin!

"Wel diawl," meddan nhw, "mi oedd pawb yn chwerthin pan oedd Ifan Gruffydd yma, oedd wir!"

Wrth gwrs, mi oedd Ifan, efo'i brofiad a'i ddawn, wedi nabod y gynulleidfa ac wedi ei bwydo efo jôcs a oedd yn apelio! Fy arwr mawr, Bob Monkhouse, ddwedodd unwaith, os nad ydy'r gynulleidfa'n chwerthin, ar y digrifwr mae'r bai. Ei waith o ydy gwneud i bobol chwerthin, felly mae'n rhaid gwneud ymchwil manwl i bwy fydd yn y gynulleidfa.

Mae'n wir dweud hefyd fod 'na wahanol arddulliau o ddweud jôcs neu straeon doniol. Mae 'na rai digrifwyr hollol unigryw, sy'n gallu dweud jôcs nad oes neb arall yn gallu eu dweud fel nhw – pobol fel Ken Dodd, Peter Kay, Frankie Howerd, Spike Milligan, Ben Elton a'u tebyg, ac heb os, Tommy Cooper. Os 'dach chi'n ddigrifwr, a ddim yn sgwennu deunydd eich hun, ac yn chwilio am jôcs, wel cadwch yn glir o'r bobol yna – oni bai eich bod chi'n dyfynnu eu jôcs a chydnabod hynny. Pan dw i, er enghraifft, yn gwybod am jôc dda a ddwedodd Tommy Cooper, dw i'n deud, "Dyma be ddwedodd Tommy Cooper", a cheisio 'ngorau wedyn i'w ddynwared.

Pan oeddwn i'n cyd-gynhyrchu *Y Jocars* i S4C, gyda'r diweddar annwyl Elwyn Williams, fy nghyfrifoldeb i oedd sgwennu a chwilio am ddeunydd i'r jocars. Ac er bod rhai pobol wedi sgwennu mewn papurau newydd i ddweud fod y jôcs yn hen, mi alla i ddweud, â'm llaw ar fy nghalon, fod o leia 60% o'r jôcs yn wreiddiol. Yr her fwyaf oedd clywed y jocars fel unigolion yn fy mhen yn dweud y jôc roeddwn i wedi ei sgwennu ar eu cyfer. Wrth gwrs, mi oedd 'na adegau pan oeddwn i'n pori trwy lyfrau jôcs, a phan oeddwn i'n dod ar draws un dda, rhaid meddwl wedyn pwy fyddai'r jôc yn ei siwtio. Fyddai jôc hir ddim yn siwtio Dilwyn Morgan, Don Davies na Gareth Owen, ond mi fyddai'n siwtio Dilwyn Pierce, Glyn Owens a Nigel Owens.

Pam dweud hyn i gyd? Wel yn syml iawn, oherwydd fydd pob jôc fyddwch chi'n ei darllen yn y llyfr yma ddim yn gwneud i chi rowlio chwerthin. Ond yr hyn dw i wedi ceisio ei wneud ydy rhoi darlun i chi o'r cymeriadau a'r sefyllfa, fel eu bod yn dod yn fyw o flaen eich llygaid, a'ch bod chi bron yn eu clywed yn siarad. Ac os 'dach chi'n ddigrifwr, cofiwch yr amseru a'r geiriau allweddol sydd bob amser mewn jôc. Oes 'na hen jôcs yn y llyfr, Idris? Wel, mae'n dibynnu sut 'dach chi'n diffinio hen jôc. Mi ddaeth Adrian, sy'n un o gynhyrchwyr *Wedi 7*, at fy nesg yn Tinopolis y diwrnod o'r blaen a dweud, "Dyma jôc newydd i ti, Iris," (dydy o ddim yn dda efo enwau) ac mi ddwedodd y jôc. Wel rŵan, i Adrian mi oedd ei jôc yn newydd, ond roeddwn *i* wedi ei chlywed hi'n saith oed, yn yr ysgol! Beth ydy hen jôc felly? Wel, jôc 'dach chi wedi ei chlywed – mor syml â hynny! Mi fydd 'na jôcs 'dach chi falle wedi eu clywed, neu eu darllen rywle arall yn y llyfr yma, ond mi fydd 'na rai hollol wreiddiol hefyd – rhai ysgrifennais i'n arbennig i'r *Jocars*, a rhai gwreiddiol a ysgrifennais ar gyfer digrifwyr yn Lloegr. Mae jôcs fy nhad wedi eu cynnwys (dw i ddim yn gwybod faint ohonyn nhw sy'n wir, air am air!) ac efallai eich bod chi wedi clywed ambell un gan ddigrifwyr eraill. Ond o enau fy nhad y gwnes i eu clywed, ac os oeddech chi'n ffan o Charles Williams, darllenwch y stori efo'r pennawd 'Charles' fel petaech yn clywed Charles ei hun yn ei dweud. Mwynhewch, bobl annwyl, a diolch yn fawr am brynu'r llyfr 'ma.

Diolch yn fawr hefyd i Branwen Gwyn am gyywirro silllaffu fy nghyffriffiadur sy'nn duueddoll o wneud cammgymmerriadau o dro i drro.

Cymeriadau Bro

Arweinydd mewn Noson Lawen yn cyhoeddi i'r gynulleidfa yn sych a thrist, "Ddrwg iawn gen i gyhoeddi, ond dw i newydd dderbyn galwad ffôn gan Mrs Davies Drefach yn dweud na fydd ei gŵr, a ddathlodd ei ben-blwydd yn wyth deg chwech heddiw, gyda ni heno. Yn anffodus, medda hi, mi adawodd am hanner awr wedi pump, ond mae gen i'r cysur o wybod i sicrwydd ei fod o wedi mynd i rywle llawer iawn gwell… mae o 'di mynd i'r sinema!"

★ ★ ★

Dweud dy Ddweud

'Nhad yn dweud wrtha fi am beidio cwffio efo rhywun hyll, achos does gynnon nhw ddim byd i'w golli.

★ ★ ★

Teulu Od

Dw i'n teimlo'n sori dros fy mrawd, 'chi. Mi oedd o ar y ffôn efo Mam ddoe yn crio.

"Mam, Mam," medda fo, "does neb yn lecio fi, neb yn fy ngharu fi, does gin i ddim ffrindiau o gwbwl. Mae pawb yn cuddio pan dw i'n dŵad lawr y lôn, does 'na neb o gwbwl isio siarad efo fi. Mam, Mam, be wna i? Be wna i?"

Ac medda Mam, "Na, na, dydy o ddim yn wir. Ond be dw i isio wybod ydy – lle ddiawl ges di fy rhif ffôn i?"

★ ★ ★

Mewn Glân Briodas

Mae Elis 'di penderfynu dangos y byd i'w gariad… Wir, mae o wedi prynu atlas iddi!

★ ★ ★

O Enau Plant Bychain

Roedd yr athro yn yr ysgol yn dysgu ni am y *birds and the bees*. 'Nath o ddim job dda iawn, achos pan gafodd merch y gweinidog ei phigo gan wenynen, roedd hi'n sgrechian dros y wlad, yn meddwl ei bod hi'n disgwl babi.

★ ★ ★

Cymeriadau Bro

Boi 'ma'n ffonio gorsaf yr heddlu a deud, "Dw i wedi smasho fy Austin Allegro i mewn i *brand new* Jaguar, a malu *bus shelter* wrth i mi fynd drwy olau coch *traffic lights*."

"O ia," medda'r Plismon, "lle yn union wyt ti?"

"Ew," medda'r boi, "'sat ti'n lecio gwbod, yn basat?!"

★ ★ ★

Charles

Hen gymeriad o Gwalchmai, yn lecio ei beint. Roedd o 'di bod mewn damwain car tua ochra 'Berffro 'na. Mi oedd o wedi taro yn erbyn lorri laeth, a'r car wedyn yn taro yn erbyn polyn telegraff, rowlio lawr yr allt, a'r car yn glanio'n wyrthiol ar ei draed. Pan gyrhaeddodd yr heddlu, mi oedd Tref yn ista ar do'r car, ac un o'r plismyn yn gofyn iddo fo, "Ti wedi bod yn yfad heno?"

"Wel, do siŵr, " medda Tref. "Be ti'n feddwl ydw i? Stuntman?"

★ ★ ★

Teulu Od

"Wel, ma teulu ni'n deulu od," medda John. "O'n i'n siarad am y peth efo Yncyl Dilys ddoe ddwetha. Deud oedd hi bod ei chwaer yn siarad efo'r bwji am tua awr a hanner bob dydd. Mae ei bil ffôn hi'n anferth."

★ ★ ★

Mi oedd deg ohonom ni'n cysgu'n yr un gwely. Od hefyd – dim ond pedwar sy'n byw acw!

Cymeriadau Bro

"Mi 'nes i a'r teulu," medda John Sellers, "fynd am wyliau ar un o'r *high speed continental trains* 'ma. Dach chi'n gweld ugain o wledydd mewn pedwar diwrnod. Sôn am fynd yn ffast! Chawson ni ond deg munud yn Rhufain. Mi oeddan ni mewn ac allan o'r Fatican mor gyflym, mi glywis i'r Pab yn deud, 'Pwy ddiawl oedd rheina?'"

★ ★ ★

Dweud dy Ddweud

Mi oeddwn i dipyn yn boenus un noson ar ôl perfformio ym Mhafiliwn Rhyl. Dyma fi'n deud wrth Gareth Owen fy nghyfaill, sy'n ddigrifwr arbennig, ac yn chwim ei dafod, "Gareth," medda fi. "Boi 'na'n deud wrtha fi rŵan 'mod i'n wael iawn heno."

Ac medda Gareth, "Paid â chymryd sylw ohono fo, does ganddo fo ddim meddwl ei hun; dim ond ailadrodd be ma pawb arall yn ddeud mae o!"

Ia, diolch Gareth...

★ ★ ★

Côr o dri deg dau i fod yma heno, ond yn anffodus mae un deg chwech wedi methu troi i fyny. Felly pan ddaw'r wyth ymlaen, rhowch groeso mawr i'r pedwar, achos mae'r ddau yn dda iawn, a dach chi'n mynd i'w fwynhau o.

★ ★ ★

Charles

O'n i'n siarad efo hen fachgan o'r pentra 'cw ddoe ddwytha, ac medda fo wrtha i, "Y wraig acw wedi 'ngadael i ers mis rŵan Charlie bach, a dw i ddim wedi byta dim byd ers iddi fynd."

"Poeni ydach chi?" medda fi.

"Naci sdi," medda fo, "ma'r hen gythral 'di cuddio fy nannedd i!"

★ ★ ★

Roedd Ŵan John o'r pentra 'cw yn un o ddynion doniola'r ddaear. Doedd dim rhyw lawer o awydd gweithio arno fo, ac mi fuodd ar y dôl am ran fwya'i oes. Ma 'na stori wych amdano'n cael ei holi gan un o'r swyddogion, ar ôl bod yn derbyn arian gan y Weinyddiaeth Lês am rai blynyddoedd.

"Oes ganddoch chi bres yn y banc, Mr Jones?"

"Oes, ugain mil o bunnau," medda Ŵan John.

Ac meddai'r ferch, "Peidiwch â siarad yn wirion!"

"Wel diawl," medda Ŵan John, "chi ddechreuodd!"

Rai blynyddoedd wedyn, a Ŵan John bellach yn chwe deg pump, aeth i gael ei bensiwn; swyddog yn y Weinyddiaeth yn dweud wrtho fo, "Mr Jones, a chitha'n chwe deg pump, dach chi'n gorffan efo ni heddiw."

Fynta'n ateb, "Os dw i'n gorffan efo chi, ydach chi'n talu *redundancy*?"

★ ★ ★

Gwilym Bwtshar Llangefni yn dweud am Wil Bach Rhostrehwfa (oedd yn dipyn o gymeriad) yn galw mewn yn hwyr pnawn Sadwrn, a Gwilym ar fin cau. Bryd hynny, mi oedd bwtsheriaid yn gwerthu cwningod a'r rheini fel arfer yn hongian tu allan i'r siop. Wil Bach 'di bod yn yfad yn drwm drwy'r pnawn, yn gofyn i Gwilym am ddwy gwningen i fynd adra i swpar, a Gwilym yn dweud, "Ma'n ddrwg iawn gen i Wil, ond ma'r cwningod i gyd wedi'u gwerthu. Ond ma gen i ddarn o ham yn y cefn 'na, gymeri di hwnnw?"

Ac medda Wil, "Darn o ham? Darn o ham? Sut fedra i fynd adra a deud wrth y wraig 'cw mod i wedi saethu darn o ham?!"

★ ★ ★

Byrion

Fedar arian ddim prynu hapusrwydd; 'dach chi angen carden credyd i wneud hynny!

★ ★ ★

Fi a Nhw

Dydy heddiw ddim wedi bod yn ddiwrnod da; problemau o'r funud gyntaf. Gwisgo 'nghrys, ac mi ddaeth y botwm i ffwrdd. Codi 'mag, ac mi ddaeth yr handlen i ffwrdd. Agor drws y tŷ, ac mi ddaeth y nob i ffwrdd. Dw i ofn mynd i'r tŷ bach!

★ ★ ★

Teulu Od

"Ew, teulu ni'n anlwcus. Fuodd 'Nhad farw ddwy flynedd cyn i mi gael fy ngeni," medda Sellers mewn pregath hir am ei deulu wrtha fi. "Mi wnaeth Yncl Hiwbert brynu fferm ieir, a roedd y ceiliog yn gay. Pan oedd Yncl Dwdel yn hwylio ar y môr, nath ei gwch o droi drosodd, ac fe gafodd o'i achub... gan y Titanic. Nath Yncl Cled farw yn yfed 'Long Life' a nath Yncl Simon roi bocs o 'After Eights' i Anti Betty, a wnaeth hi farw am hanner awr wedi saith. Gath Anti Jen flodau plastig gan Taid – naethon nhw farw. Nath 'y nghefnder Iori drwsio'r cloc cwcw, rŵan ma'r gwcw yn bagio allan a gofyn, 'Faint o'r gloch ydi hi?'

A nath o fynd i gael gwersi golff. Mi nath o ddilyn y cyngor i gadw ei ben i lawr, ac wrth iddo wneud, nath rhywun ddwyn ei fag o. Ma mrawd, Jac, yn 'jack of all trades', ac mae o allan o waith ym mhob un. Mae o'n medru gwneud popeth, heblaw gwneud bywoliaeth. Mi ddechreuodd ar y gwaelod, ac mae o wedi aros yna. Dydy o byth yn gwneud yr un camgymeriad ddwy waith... o na, mae o'n ffeindio rhai newydd bob dydd. 'Jig-so' ma pawb yn ei alw fo, achos pan ma gynno fo broblemau, mae o'n mynd yn ddarnau. Yr hyn sy wedi ei rwystro fo rhag gwneud arian yn gyflym ydy ceffylau araf. Os ydy o angen ffrind, mae o'n gorfod prynu ci. Ond er hyn i gyd, tasa fo'n ymddeol heddiw, mi fasa gynno fo ddigon o bres i fyw am weddill ei oes... petai o'n marw fory."

Byrion

Os dydy o ddim dros bwysau, yna mae o chwe modfedd yn rhy fyr. Mae o'n medru eistedd o gwmpas y bwrdd ar ben ei hun.

★ ★ ★

Celwydd Golau

Ma 'na rai sydd â'r ddawn anhygoel o ddweud celwydd.

Dau ddyn yn rhoi her i'w gilydd i weld pwy fasa'n gallu dweud y celwydd gorau, ac medda'r cyntaf, "Mi wnes i rwyfo i fyny'r Niagra Falls mewn canŵ, mewn storm o fellt a tharanau."

Dyna i chi gelwydd.

"Do, do," medda'r llall i'w guro, "mi welais i ti."

★ ★ ★

Fi a Nhw

Mi es i a'r wraig am benwythnos rhamantus i Disneyland. Ia, fan'no! Diwrnod cyntaf, roedd isio ciwio am bopeth. Arwyddion yn dweud '15 minutes to go from here', wedyn arwydd '10 minutes' wedyn '5 minutes', a hyn ym mhob man, a phob reid. O'n i'n ffed yp wir, ac o'n i'n edrych mlaen at fynd nôl i'r gwesty, oedd ar dir

Disneyland. Ystafell wely gyda'r mwyaf moethus welais erioed yn fy mywyd. Mi aeth 'y ngwraig i'r gwely'n syth. Mi es i i'r ystafell molchi, *en suite* posh, ac mi ges gawod hyfryd. O'n i'n teimlo'n wych. Dyma fi allan o'r stafell, ac mi oedd 'na giw o amgylch y gwely efo arwydd '10 minutes to go from here'.

★ ★ ★

Byrion

Be sy'n dda am jôcs dau ystyr ydi, mai dim ond un ystyr sy 'na.

★ ★ ★

Fi a Nhw

Mae dadlau efo Ion Tomos fatha trio darllen y *Times* ar ben Yr Wyddfa ar ddiwrnod gwyntog.

★ ★ ★

Mi fasa Hywel Gwynfryn yn enwog drwy'r byd tasa fo mor adnabyddus â'i jôcs.

★ ★ ★

Hywel Gwynfryn ydy'r digrifwr gorau yn Nghymru. Os dach chi ddim yn fy nghoelio fi, gofynnwch iddo fo! Tro dwytha iddo fo arwain Noson Lawen, mi oedd 'na giw hir o bobol wrth y drws… yn trio mynd allan. Mi ddaeth o mlaen i ddweud jôcs yn dilyn Diky Biky y chimpanzee ym Mhafiliwn Rhyl, ac mi oedd y gynulleidfa yn meddwl bod y chimp yn dal ar y llwyfan!

★ ★ ★

Charles

Ew, lle posh yma. Dynas yn fan'cw'n byta'i chips efo menig!

★ ★ ★

O Enau Plant Bychain

Sam: Ond Dadi, Dadi, dw i ddim isio mynd i Ffrainc!
Dad: Cau dy geg a dechreua nofio.

★ ★ ★

Mewn Glân Briodas

Y wraig 'cw ydy'r unig un, am wn i, sy'n berwi cornflakes yn y bag.

★ ★ ★

Fi a Nhw

"Mal," medda fi wrth Malcolm Allen, "dw i ddim yn gwbod be i neud efo fy nwylo pan dw i'n sylwebu."

Ac medda fo, "Rho nhw dros dy geg."

★ ★ ★

Teulu Od

Mi nath Anti Annie gacen pen-blwydd efo *baked beans*. Doedd hi ddim yn blasu'n neis iawn, ond roedd yn chwythu'r canhwyllau allan ei hun!

★ ★ ★

Fi a Nhw

Dylan a Meinir BBC Radio Cymru yn codi arian tuag at Blant Mewn Angen, felly maen nhw'n penderfynu gwneud llond gwlad o fwyd Tseiniaidd – rhyw fath o *sponsored wok*!

★ ★ ★

Rhaglen Siân Thomas *Chware Teg* yn boblogaidd iawn, iawn, a Siân ei hun sydd i gyfri am hynny. Cyfreithwraig *microwave* dw i'n ei galw hi. Wrth i eraill gymryd 8 awr i setlo problem, mae Siân yn ei setlo hi mewn 8 munud.

★ ★ ★

Tasa Garry Owen yn deiar, mi fasa fo'n anghyfreithlon.

'Nath o olchi'i wallt efo *Wash and Go*, ac mi aeth! Erbyn heddiw, tra ma pawb arall yn defnyddio siampŵ *Head and Shoulders*, jyst *Shoulders* mae o'n defnyddio.

Petai 'na dylwyth teg gwallt, mi fydda Garry'n ddyn cyfoethog iawn.

★ ★ ★

Byrion

Tasat ti ar dân, 'swn i'n deialu 998!

★ ★ ★

Charles

(Wrth gynulleidfa anodd)
Ma cymeradwyo yn llosgi 25 o galorïau – felly
dechreuwch losgi!

★ ★ ★

Dw i'n gwbod be fydd gwaith yr hogia acw 'rôl tyfu
fyny – plymars. Ia, plymars bob un. Achos bob tro dw
i'n gofyn iddyn nhw ddŵad i'r tŷ, 'dyn nhw byth yn
dŵad.

★ ★ ★

Byrion

Pan oeddan ni'n blant, mi oeddan ni'n arfer chwarae
gêm – curo ar ddrws rhywun, a wedyn rhedeg i ffwrdd
nerth ein traed. Enw hynna heddiw ydy *Parcel Force*.

★ ★ ★

Charles

Dynas tu ôl i'r bar yn sylwi bod yr hen Dic yn mynd yn fwy meddw bob munud, ac mi aeth ato a deud yn gas, "Dw i 'di dy weld di yma o'r blaen yn do? Ac mi wyt ti bob amser yn feddw. Pam wyt ti'n yfed cymaint?"

Ac medda Dic, "Achos, Madam, ma gin i broblem fawr," a thaflu llond gwydraid arall i'w geg.

"O," medda hitha, "be ydy'r broblem?"

Ac medda Dic, "Dw i'n yfad gormod!"

★ ★ ★

O Enau Plant Bychain

Newyddion da – dw i wedi cael pysgodyn aur ar fy mhen-blwydd! Newyddion drwg – dw i ddim yn cael powlen tan fy mhen-blwydd nesa!

★ ★ ★

Byrion

Ydy hi'n bosib bwyta cawl efo barf trwchus? Ydy, ond 'sa'n haws efo llwy.

★ ★ ★

"Ma bwji ni'n dodwy wyau sgwâr."

"Ydy o'n siarad?"

"Dim ond un gair."

"A be ydy hwnnw?"

"Aw!"

O Enau Plant Bychain

"Tecwyn, ti wedi bod yn cwffio eto, yn dwyt ti?"

"Yndw, Mam."

"Wel dw i wedi dweud wrthot ti o'r blaen, ma'n rhaid i ti reoli dy dymer. Mi wnes i ddweud wrthot ti am gyfri i ddeg, yn do?"

"Do, Mam, ond 'nath mam Donald ddeud wrtho fo i gyfri i bump, so nath o hitio fi!"

★ ★ ★

"Faint ydy oed dy daid?"

"Dw i ddim yn gwbod, ond mae o gynnon ni ers talwm."

★ ★ ★

Mewn Glân Briodas

"Mi wnes i anghofio pen-blwydd y wraig!"

"Bobol mawr, be ddudodd hi?"

"Dim byd am dri mis."

★ ★ ★

Charles

Hen wraig o Amlwch wedi ennill chwarter miliwn ar y pyllau pêl-droed. Ond am ei bod hi'n wan, yn fusgrell, ac yn wael ei hiechyd, roedd y teulu'n poeni y byddai'r sioc o gael gwybod yn ddigon iddi, y byddai'n cael trawiad, ac yn marw yn y fan. Felly dyma ofyn i Dr Hughes am gyngor, ac medda hwnnw, "O peidiwch â phoeni dim, mi ddof i draw i ddweud wrthi yn bwyllog braf a hamddenol."

Fe gytunodd y teulu.

Dr Hughes yn galw y noson honno, ac yn mynd i'r ystafell lle roedd yr hen wraig. Dyma ddechrau ar y broses o ddweud wrthi'n araf a phwyllog. Dr Hughes yn cymeryd arno ei fod yn rhoi archwiliad iddi, a throi'r sgwrs yn ofalus i drafod arian.

"Dudwch wrtha i, Mrs Thomas," medda fo. "Be fasach chi'n ei wneud petaech chi rŵan yn ennill chwarter miliwn o bunnoedd?"

"Chwarter miliwn?" medda'r hen wraig yn feddylgar. "Chwarter miliwn? Wel dach chi di bod yn dda iawn efo fi, Doctor, dw i'n meddwl 'swn ni'n rhoi eu hanner nhw i chi."

A dyma'r meddyg yn cael trawiad a marw yn y fan a'r lle!

★ ★ ★

Mi 'dach chi'n cael ambell stori dda yn annisgwyl weithiau. Yn syrjeri'r doctor yn Gwalchmai oeddwn i pan ddaeth T.L. i mewn. Wedi i ni fod yn siarad am dipyn, medda fo, "Y wraig 'cw, Charles, yn deud wrtha fi'r diwrnod o'r blaen fod rhaid i mi fynd â'r

gath 'cw i rywle digon pell, a'i cholli hi. Felly dyma
fi'n ei rhoi mewn basged, a cherddad am filltiroedd i
ganol y wlad."

"Wnest ti'i cholli hi?" gofynnais i.

"Ei cholli hi?" medda fo. "Taswn i heb ei dilyn hi,
faswn i ddim 'di ffeindio'r ffordd adra!"

★ ★ ★

O Enau Plant Bychain

Dyn rhent yn cerddad i fyny at ddrws y tŷ, ac mi oedd
'na hogyn bach yn ista ar stepan drws. Y dyn yn gofyn
iddo fo, "Ydy dy fam i mewn, machgan i?"

"Yndy," medda'r bychan.

Dyn rhent yn curo ar y drws am hir, a chael dim
atab, ac medda fo, 'di gwylltio, "O'n i'n meddwl dy
fod ti wedi deud fod dy fam adra!"

"Ma hi," medda'r bychan. "Dw i ddim yn byw yn
fama."

★ ★ ★

Hogan fach yn crio un bora cyn mynd i'r ysgol, a'i
mam yn gofyn iddi, "Wel, wel, be sy'n bod? Pam ti'n
crio fel hyn?"

"Ma sgidia fi'n brifo traed fi," medda'r ferch fach.

Ac medda'r fam, "Wel, does ryfedd. Sbia – ti wedi'u
rhoi nhw am y traed anghywir!"

Ond dal i grio wnaeth hi, a deud,

"Ond toes gin i ddim traed eraill, nag oes?"

★ ★ ★

Cymeriadau Bro

Mary: O helo Jane, dw i ddim di dy weld ers tua ugain mlynedd. Bron i mi fethu dy nabod, ti wedi heneiddio gymaint!

Jane: O helo Mary, faswn i ddim di dy nabod di chwaith, oni bai am y gôt 'na ti'n ei gwisgo!

★ ★ ★

Charles

Tomos Robaits yn dŵad allan o'r Bull yn Llangefni, a Jones Gweinidog yn ei weld, a deud, "Tomos, chewch chi ddim mynd i'r nefoedd efo ogla diod ar eich gwynt."

Ac medda Tomos, "Erbyn fydda i 'di mynd i fan'no, mi fydda i wedi colli 'ngwynt!"

★ ★ ★

Atab da

Meddyg yn deud wrth un o'i gleifion, "Ma'n ddrwg gen i ddweud wrthoch chi mai dim ond rhyw bum munud sy ganddoch chi i fyw."

Ac medda'r claf, "Oes 'na rwbath fedrwch chi ei wneud i mi, Doctor?"

"Wel," medda hwnnw, "mi fedra i ferwi wy i chi."

Fi a Nhw

Mi oeddwn i allan efo'r hogan 'ma o Fethesda.

"Ew, dw i'n lecio dy ddannedd di," medda fi.

"Ti'n rhamantus iawn," meddai. "Ti isio eu dal nhw?"

★ ★ ★

Charles

Clywad am y cwpwl 'ma ar eu mis mêl, Wil a Gwen, y ddau, er yn gariadon ers blynyddoedd, ddim 'di bod mor agos at ei gilydd â chariadon arferol, os dach chi'n dallt be dw i'n feddwl! Mi oedd gan y ddau gyfrinach, nad oedd y naill na'r llall yn gwybod amdani, ac mi oedd y ddau yn poeni yn ofnadwy am hyn. Roedd ganddo fo, yn anffodus, draed oedd yn drewi'n drybeilig, y creadur, ac mi oedd ganddi hi ogla drwg difrifol ar ei gwynt. Felly ar noson gyntaf y mis mêl, dyma fo'n taflu ei sanau i'r bath, a hithau'n llenwi ei cheg cymaint ag y gallai efo mints! Dyma nhw'n cyfarfod yng nghanol y stafell wely, ac medda Wil, "Gwen fach, ma gen i gyfrinach dw i am rannu efo ti. Ma gen i draed sy'n drewi'n ofnadwy."

Ac meddai hithau, "Paid â phoeni, ma gin i gyfrinach i rannu efo ti hefyd."

"Dw i'n gwbod," medda Wil. "Ti wedi byta fy sanau i!"

★ ★ ★

Cymeriadau Bro

Dyn heb freichiau yn dod i mewn i dafarn yn y wlad tua ochra Niwbwrch, a dyma fo'n mynd at y bar a gofyn, "Wnewch chi fynd i mhoced i i nôl arian, os gwelwch yn dda?" A'r barman yn ofalus yn mynd i'w bocad.

"Wnewch chi fy nghodi ar y gadair, os gwelwch yn dda?" medda fo eto, a'r barman yn ei godi.

"Wnewch chi ddod â peint i mi, os gwelwch yn dda?" gofynnodd, "a rhowch y newid yn fy mhoced i."

Eto, y barman yn ateb y cais.

"Wnewch chi roi'r gwydr wrth fy ngheg, a'i dywallt yn araf i mewn os gwelwch yn dda?"

Mi aeth hyn ymlaen am bum peint – nôl y pres o'i boced, rhoi'r diod yn ei geg – wel mi oedd rhaid cael help ac yntau heb freichiau, yn doedd? Yna dyma'r dyn yn gofyn lle oedd y tŷ bach, ac medda'r barman, "Tair milltir lawr y lôn."

★ ★ ★

Mewn Glân Briodas

Merch ifanc newydd briodi, a dipyn yn swil i gael ei galw yn briodferch, pan oedd yn aros mewn gwesty ar noson gyntaf ei mis mêl. Pan gyrhaeddodd hi a'i gŵr newydd y gwesty, dyma hi'n deud wrtho fo, "Ydy'n bosib i ni ymddangos fel ein bod ni wedi priodi ers sbel? Dw i ddim isio neb wybod bo ni newydd briodi."

"Wrth gwrs," medda fo. "Caria di'r bagiau!"

★ ★ ★

Mewn Glân Briodas

Mari'n deud wrth Dic,

"Wel edrycha mewn difri – rhywun wedi rhoi hysbyseb yn y papur yn dweud ei fod yn fodlon ffeirio'i wraig am docyn i weld cwpan yr F.A. yn Wembley. Fasat ti ddim yn gwneud hynny, na fasat Dic?"

"Na, dim peryg Mari fach," medda Dic. "Ma gin i dicad."

★ ★ ★

Fi a Nhw

O'n i'n siarad efo fy ffrind Jonsi wythnos dwetha, ac medda fo, "Idris, ti byth yn gofyn i mi dyddiau yma sut ddiwrnod dw i wedi gael."

"O, sori," medda fi. "Sut ddiwrnod ti wedi gael?"

Ac medda fo, "O, paid â gofyn!"

★ ★ ★

Mewn Glân Briodas

Ddim yn bell iawn o'n tŷ ni ma 'na dai mawr crand. Diwrnod o'r blaen, mi oedd gŵr a gwraig yn cael ffrae go iawn, ac medda fo, "Oni bai am fy mhres i, fasa'r tŷ 'ma ddim yma."

Ac medda hithau, "Oni bai am dy bres di, faswn i ddim yma."

★ ★ ★

Charles

Dwy ddynas yn siarad efo'i gilydd dros ffens yr ardd, ac medda un, "Ti'n gwbod bod y postman 'di cysgu efo pob un ddynas, heblaw un yn y stryd yma?"

Ac medda'r llall, "Hy, mi fetia i rwbath mai'r hen drwyn 'na yn nymbar thrî ydy hi!"

★ ★ ★

Dweud dy Ddweud

Os ydach chi am wella eich cof, rhowch fenthyg arian i rywun.

★ ★ ★

Charles

Does 'na unlla'n y byd fatha Gwalchmai yn Sir Fôn 'cw am gymeriadau ffraeth. Gwraig Jac Fawr yn deud wrtho fo, "Jac, pan fydda i farw, nei di ofalu bod Mam yn ista yn y car efo chdi tu ôl i'r hers?"

"Mi wna i," medda Jac. "Ond cofia, mi sboilith fy niwrnod."

★ ★ ★

Dau o gymeriadau o Gaergybi isio ymuno â'r Heddlu, a dyma fynd am gyfweliad efo'r Sarj. Y Sarj yn nabod y ddau yn dda, ac yn gwbod nad oedd fawr o siawns gan yr hogia i ymuno. Dyma fo'n galw ar Wil i fynd i mewn gynta.

"Wel, Wil," medda fo. "D'wad i mi, faint ydy un a thri?"

"Arhoswch funud, Sarj," medda Wil. "Dw i fod i wbod yr atab i hwn. Un a thri – efo'i gilydd felly, ia? Faint i gyd felly?"

"Ia, faint efo'i gilydd ydy un a thri?" medda'r Sarj eto. "Dos allan i feddwl amdano fo, a gyrra Dei i mewn."

Dyma Dei i mewn.

"Dei," medda'r Sarj, "dw i am ofyn cwestiwn cyffredinol, *general knowledge* 'lly, i ti. Sut wnaeth yr asyn farw ar y ffordd i Fflint?"

"Be ddudoch chi?" medda Dei. "Sut wnaeth yr asyn farw ar ei ffordd i Fflint?"

"Ia. Yli, Dei," medda'r Sarj, "dos allan a gyrra Wil i mewn."

Wil a Dei'n cyfarfod cyn i Wil fynd nôl i mewn, ac medda Wil, "D'wad i mi Dei, be ydy un a thri?"

Ac medda Dei, "Paid â 'mhoeni fi rŵan, ma'r Sarj wedi rhoi fi ar *murder case* yn barod!"

★ ★ ★

Dweud dy Ddweud

Faint o actorion mae'n gymryd i newid bylb?

Cant – un i newid y bylb, a naw deg naw i ddweud, "Mi faswn i wedi medru gwneud hynna!"

★ ★ ★

Charles

Gweinidog yn deud wrth Tomos Robaits, "Pam na rowch chi'r gora i'r ddiod feddwol, y smocio, a'r rhegi?"

"Mae'n rhy hwyr ma arna i ofn," medda Tomos.

"Na na, dim o gwbwl, dydy hi byth yn rhy hwyr," medda'r gweinidog.

"O," medda Tomos. "Does 'na ddim brys felly, nagoes?"

★ ★ ★

Byrion

Fetia i di bum punt y medra i stopio gamblo.

★ ★ ★

Afal y Dydd

Dyn yn mynd at y meddyg a dweud, "Dw i wedi colli fy nghof."

Ac medda'r meddyg, "Ers faint ydach chi wedi ei golli fo?"

Ac medda'r dyn, "Colli be?"

★ ★ ★

Byrion

Maddeuwch i'ch holl elynion; ond cofiwch eu henwau.

★ ★ ★

Fel dw i wedi dweud sawl gwaith – dw i ddim yn ailddweud.

★ ★ ★

Charles

Wyddoch chi be, bobol? Ma 'na dabled neu ffisig at bopeth heddiw – trwyn yn rhedeg, dolur rhydd, cadw'n rhydd, colli gwallt, cadw'r galon i guro – popeth, ia popeth! Ma pobol yn marw'n edrach yn dda!

★ ★ ★

Teulu Od

Fy chwaer Cadwaladr yn mynd i weithio ar fferm yn bymtheg oed. Doedd hi ddim yn dda iawn am ddreifio tractor, ond 'sa werth i chi weld hi'n tynnu'r arad.

★ ★ ★

Mi oedd 'Nhad yn gallu bwydo teulu cyfa efo dim ond deg punt yr wythnos. Roedd Mam yn lloerig. Nath hi erioed ffendio allan pwy oedd y teulu.

★ ★ ★

Charles

Hogyn ifanc yn edrych dros ffens gardd ar stad posh ym Mangor, a'r gweinidog yn pasio a gofyn iddo fo, "Be ti'n weld dros y ffens yna, machgen i?"

Ac medda'r hogyn braidd yn swil, "Wel syr, ma 'na ferchaid del ofnadwy yn yr ardd 'ma, a bob dydd 'dyn nhw ddim yn gwisgo dillad."

Ac medda'r gweinidog, "Allwn i byth, byth wneud beth wyt ti yn ei wneud!"

O ddydd Llun tan ddydd Gwener mi oedd yr hogyn ifanc y edrych dros y ffens, a bob dydd mi oedd y gweinidog yn pasio ac yn dweud, "Allwn i byth, byth wneud beth wyt ti yn ei wneud."

Bora Sadwrn mi basiodd y gweinidog heb ddweud dim byd.

"Be sy'n bod bora 'ma?" gofynnodd yr hogyn ifanc. "Dach chi fel arfer yn dweud na allach chi byth, byth wneud yr hyn dw i'n ei wneud."

Ac medda'r gweinidog, "Ond mi fedra i bore 'ma
– dw i wedi cael bocs i sefyll arno fo!"

★ ★ ★

Fi a Nhw

Pan oedd Dei Tomos yn ifanc tua'r Gwersyll Yr Urdd
'na, mi oedd merchaid ifanc o'i gwmpas fel pryfaid.
Erbyn heddiw, pryfaid sydd o'i gwmpas o.

★ ★ ★

Faint sy'n gwybod i Alwyn Humphreys wneud ei farc
yn y London Palladium wsnos dwetha? Do wir, a mae
o'n gorfod mynd yna i'w lanhau o wsnos nesa!

★ ★ ★

"Y wraig a fi, bob tro dan ni'n cyfarfod, mae o fel y
tro cyntaf."
   "Rhamantus!"
   "Na, cof gwael!"

★ ★ ★

Oeddach chi'n gwybod bod Margaret Williams yn
fawr yn America? O oedd, ond ma hi wedi colli lot o
bwysa erbyn hyn!

★ ★ ★

Dw i ddim yn fardd, ond dyma i chi limrigau sgwennais i i Radio Cymru, dan bwysau mawr. Huw Llywelyn Davies a'r diweddar Eurig Wyn oedd y beirniaid.

Es unwaith efo nghariad i Ibiza,
Yn awchu i'w charu i'r eitha,
Ond wrth ymyl y *pool*
Yn swsian yn *cool*
Roedd fy ngwraig efo'i chariad hitha!

Ar fron rhyw farmaid o Sale
Roedd tatŵs o brisiau yr êl,
Er mwyn y rhai dall,
Cafodd syniad reit gall,
Rhoi yn union yr un peth mewn braille.

Rhyw fachgen mawr boliog oedd Ronni,
A yfodd naw peint o Bacardi,
Pan ofynnwyd, "Ti'n llawn?"
Atebodd "Dw i'n iawn,
Ond ddim hanner cystal â ro'n i."

Cymeriadau Bro

Roedd Dic Bach ac Ems, ei fêt, yn botshars o fri – dau o hogia yn eu tridegau na wnaeth strôc o waith erioed. Be 'sach chi'n eu galw nhw 'dwch? Twyllwrs clên?

Y math o hogia na fasa'n brifo neb. Y ddau yn lecio mynd allan i saethu ffesants a chwningod. Stori ydy hon amdanyn nhw yn llys Llangefni. Y ddau, ryw ddiwrnod, yn penderfynu mynd i ffarm Bryn Hyfryd, Bodffordd i saethu, ond cyn mynd at y tŷ, dyma Dic yn deud wrth Ems y bydda fo'n mynd i ofyn i Mr Robaich am ganiatâd i fynd ar y tir. Ac mi aeth, a gadal Ems wrth giât lôn.

"Meddwl 'sa Ems a fi'n cael mynd ar 'ch caea chi i saethu pnawn 'ma, Mr Robaich," medda Dic.

"Wel, a deud y gwir," medda hwnnw, "ma'r fet 'di bod yma bora 'ma efo newyddion drwg am yr hen ferlan. Neith hi ddim gwella, felly ma'n rhaid i mi ei difa fy hun. Diawl, mi fasach chi'n gwneud cymwynas â fi, a'r ferlan, tasach chi'n ei saethu hi, a'i thynnu o'i phoen."

"Dew annwl dad, dim problam," medda Dic, ac off â fo, nôl at Ems. Ond 'nath o ddim deud wrth ei ffrind am yr hyn oedd Mr Robaich 'di gofyn iddo neud. Dyma'r ddau'n mynd i'r cae lle roedd y ferlan, a medda Dic wrth edrach ar y ferlan, "Dw i am ddechra efo rhwbath mawr heddiw, Ems," a dyma fo'n saethu'r ferlan.

"Dew, syniad da, Dic," medda Ems, "a finna hefyd," a saethu buwch!!

★ ★ ★

Dweud dy Ddweud

Ydach chi wedi gweld yr arwydd ar ddrws swyddfa'r dreth incwm?

"Sori – Ar Agor."

Cymeriadau Bro

Jac yn deud wrth ei fêt, "Dw i'n mynd i gael ysgariad mor fuan â phosib."

"O diawl, pam?" medda hwnnw.

"Wel," medda Jac, "'dy'r wraig 'cw ddim 'di siarad efo fi ers saith wsnos!"

Ac medda ei fêt, "Paid â rhuthro petha rŵan, Jac bach – ma merchaid fel 'na'n anodd iawn i'w ffendio."

★ ★ ★

Dweud dy Ddweud

Roedd Mary'n sâl, a'i gwres yn 115°. Dyma Now yn ei rhoi hi'n y selar i gynhesu'r tŷ.

★ ★ ★

Cynghorion o bwys

Cyngor da i ddynion:
Os nad ydach chi am i'ch gwraig ddreifio'ch car, dudwch wrthi petai hi'n cael damwain, byddai'r papur lleol yn printio'i hoed.

★ ★ ★

Fi a Nhw

Roedd rhaid i mi fynd at y meddyg ddoe.

"Ma'r wraig 'cw," medda fi wrth y doc, "yn siarad

efo hi ei hun drwy'r dydd."

"O, peidiwch â phoeni," medda fo, "ma lot o ferched yn gwneud hynny."

"Oes, mae'n siŵr," medda finna, "ond ar y ffôn?"

★ ★ ★

Fi a Nhw

Fy ngwraig yn deud wrth bawb fod dynion yn arfer ciwio amdani ar nos Sadwrn pan oedd hi'n ifanc. Be dydy hi *ddim* yn ei ddeud yw mai dreifar bws oedd hi.

★ ★ ★

Cymeriadau Bro

Glywsoch chi am Mrs Doris Parry? Roedd hi 'di cael y *fitted carpet* dela welsoch chi erioed. Ar ôl i'r dynion fod wrthi'n chwysu drwy'r bora yn ei ffitio fo'n berffaith yn ei le, dyma un ohonyn nhw'n gweld lwmp ar ganol y llawr o dan y carped, ac medda fo wrth y llall, "Sbia fan'na – fy ffags i, myn diawch. Wel, dw i ddim yn mynd i godi'r carped i fyny, ma hynna'n saff i ti."

A dyma fo'n mynd ati i fflatio'r lwmp efo mwrthwl. Mi fuo fo'n curo a churo am rai munuda, nes iddo fo gael gwared o'r lwmp, jyst cyn i Mrs Parry ddŵad i mewn.

"Wel, ow!" medda honno'n ecseited, "'dach chi 'di gneud job dda. Wel ma'r carped yn ddigon o sioe."

Ac ar ôl y canmol, meddai, "O, gyda llaw, mi wnes i ffendio'r paced sigarets 'ma yn y gegin. O, a gyda llaw, 'dach chi 'di gweld fy mwji fi o gwmpas?"

★ ★ ★

Fi a Nhw

Dw i'n cofio *pryd* wnes i briodi, dw i'n cofio *lle* wnes i briodi, ond dw i'n methu cofio *pam* wnes i briodi! Dw i jyst ddim yn lecio cael fy nhwyllo. Dw i'n credu bod yn rhaid i ni fod yn onest efo'n gilydd fel gŵr a gwraig. Dw i'n mynd yn wallgo bost os ydy'r wraig 'cw'n trio nhwyllo i – 'sdim byd gwaeth. Mi wnes i ddal y wraig yn dweud celwydd wrtha i'r diwrnod o'r blaen. Fe ofynnis i iddi lle roedd hi nos Lun, mi ddudodd ei bod hi allan efo Mandy. Ond dw i'n gwbod nad oedd hi, achos o'n *i* allan efo Mandy nos Lun.

★ ★ ★

Fi a Nhw

'Dach chi'n gwbod lot o jôcs am y bobol 'ma a'r car yn torri i lawr, ac yn galw mewn tŷ, ac yn y blaen. Wel, mi ddigwyddodd go iawn i mi. Ifanc iawn o'n i ar y pryd, 'di bod yn gwneud consart ym Mangor, a thorri i lawr jyst tu allan i Drawsfynydd; gweld golau'n y pellter, a mynd draw – wel mi fasach chi, yn basach? Merch ryfeddol o ddel yn agor y drws – gwallt hir, melyn lawr ei chefn.

"Car 'di torri lawr," medda fi.

"Dowch i mewn," medda hi mewn llais melodaidd. "'Sach chi'n lecio aros 'ma tan bora? Ma gin i un gwely dwbl, gewch chi gysgu ynddo fo, mi wna i gysgu ar y gadair yn y gegin."

Mi es i'r gwely, a dechra hel meddylia…

Am ddau o'r gloch y bora, dyma gnoc ar ddrws y stafell. Hi oedd yna, ia, hi. Ew, roedd hi'n ddel.

"Ydach chi'n teimlo'n unig?" gofynnodd.

"Yndw," medda fi, "unig iawn, iawn, iawn… yndw."

"'Sach chi'n lecio cwmni am ryw awr neu ddwy wrth 'ch ochr chi yn y gwely 'na?" meddai wedyn.

"Baswn," medda fi, a symud i fyny i wneud lle.

"O, dw i mor falch," meddai. "Ma Hywel Gwynfryn 'di torri lawr ac isio gwely."

★ ★ ★

Fi a Nhw

Dw i'n bersonol ddim yn meindio'r bywyd priodasol 'ma. Yr unig beth ydy fod yr oriau'n hir. Dw i'n gwbod mod i'n blentynnaidd weithia, a dw i'n gwneud ambell beth sy'n ei gwylltio hi. Dw i'n deffro'n y bora… ew, ma hynna'n ei gwylltio hi.

★ ★ ★

Dweud dy Ddweud

Glywsoch chi am y lleian oedd yn cysgu'n ei dillad? Roedd hi'n methu cael allan o'r *habit*!

★ ★ ★

Fi a Nhw

Postmon ydy brawd y wraig. Gawson ni wahoddiad i barti Dolig y Swyddfa Bost. Mi oeddan ni am chwara *Pass the Parcel*, ond roeddan nhw 'di colli'r parsal…

★ ★ ★

Fi a Nhw

'Nes i ofyn i 'nhad os oeddwn i wedi cael fy mabwysiadu.

"Do," medda fo, "ond 'naethon nhw ddŵad â chdi nôl."

★ ★ ★

O'n i'n un o ddeg o blant – nath Mam ddim gweld ei thraed am ddeuddeg mlynedd. Ia, deg o blant…

★ ★ ★

A thlawd? Roeddan ni'n gorfod rhannu'r un *nappy*!

★ ★ ★

O'n i'n cerdded cyn mod i'n naw mis oed; doedd gin i ddim dewis wir – roedd 'na dwll yng ngwaelod y pram.

★ ★ ★

Mi gafodd 'nhad ei arestio unwaith am robio tramp. Roedd Mam yn lloerig – hi oedd y tramp.

★ ★ ★

Afal y Dydd

Doctor yn deud wrth Taid, os na fydda fo'n stopio yfad, y bydda fo'n colli ei glyw. Taid yn deud bod y stwff mae o'n *yfad* yn well na'r stwff mae o'n *glywad*...

★ ★ ★

Doctor yn deud wrth Taid i fynd ar ddeiet. Taid yn gofyn a fydda fo'n byw yn hirach.

"Na," medda'r doctor, "ond mi fyddwch chi'n edrach yn well ar gyfar yr angladd."

★ ★ ★

Dweud dy Ddweud

Do'n i ddim yn gwbod beth oedd hapusrwydd nes i mi briodi. Roedd hi'n rhy hwyr wedyn!

★ ★ ★

Fi a Nhw

Ew, ma'r wraig yn hyll. Ma hi mor hyll, ma'r dyn llefrith yn fflyrtio efo *fi*. A dw i'n stiwpid hefyd. Y wraig yn deud wrtha i wsnos dwytha, "Dw i'n dy adael di."

Ac medda finna, "Fe ddo i efo ti!"

★ ★ ★

Ma rhaid i ni gyd gael gwyliau, ac w'ch chi be? Ma criw 'Cyfeillion y Ddaear' 'di cael dylanwad mawr arna i. Mi ddudon nhw wrtha i am seiclo i bob man, yn hytrach na defnyddio'r car. So es i ar fy ngwyliau ha' dwytha ar gefn beic – gwych, te? Ond mi oedd y garafán yn gythreulig o drwm…

★ ★ ★

Mi aeth y wraig a fi ar ein gwyliau i Sbaen un flwyddyn. Agor drws ffrynt y gwesty, ac mi oeddan ni ar y tywod melyn, braf. Nath neb sôn fod y blwming bildars yna…

★ ★ ★

Pan oeddwn i'n yr ysgol, mi wnes i ddisgyn mewn cariad efo'r athrawes ddosbarth. Ond nath petha ddim gweithio allan; mi oedd y gwahaniaeth oed yn ormod. Roedd hi'n un ar hugain, a finna'n dri deg wyth.

★ ★ ★

Cariad cynta yn yr ysgol, Sylvia Sibbling. Www, mi oedd ganddi bopeth! Wir, na, popeth oedd hogyn ifanc pymtheg oed fel fi isio – beiros bob lliw, siswrn, rwler, *calculator*, ryber, clips a stwffiwr. Ma merchaid fel 'na'n brin!

★ ★ ★

Ew, w'ch chi be? Newch chi ddim credu dynas mor gryf oedd chwaer Taid. Hwcar o ddynas. Mi nath gladdu ei dau ŵr cynta, a dim ond cysgu oeddan nhw…

★ ★ ★

Cymeriadau Bro

Joe bach yn deud wrth ei wraig ei fod o isio marw yn ei wely, a medda hitha, "Be, eto?"

★ ★ ★

Dydy gwraig Joe ddim yn gweld yn dda iawn. Mi aeth i gael prawf gyrru, a'r arholwr yn gofyn iddi ddarllan rhif y car ochor arall i'r lôn, a medda hi, "Pwy ddudodd hynna rŵan?… Helô?"

★ ★ ★

Mi oedd Dai a Wil… Dai a Wil? Hy! Fel ddudodd Mrs Jôs Ty Capal, "Yn Llanelli, ma pob Tom, Dic a Harri yn Dai a Wil."

Beth bynnag, mi oedd Dai a Wil yn gefnogwyr brwd o'r tîm rygbi lleol. Y Sgarlets oedd popeth i'r ddau. Wel rŵan, mi oedd Wil ar fin priodi, a Dai yn rhoi gair o gyngor iddo fo.

"Gwranda nawr, Wil bach, os bydd dy wraig yn trial dy stopo di rhag dod i'r gêm ar y Sadwrn, paid cymryd dim o'i nonsens hi. Gwna di beth rw i'n ei wneud 'da'r wraig sy 'da fi. Cymer hi dros dy gôl, cod ei ffrog hi lan, a rho yffach o smac iddi ar draws ei choese. Ches i erioed broblem wedyn, ti'n gweld!"

Mi briododd Wil, a welwyd mohono yn y gêm y dydd Sadwrn wedyn. Dyma Dai yn penderfynu ffonio Wil i ofyn be oedd yn bod, ac medda fo, "Wil bach, rw i'n becso amdanat ti. Beth yffach sy'n bod? Pam ti ddim 'di bod yn y Strade?"

"Y wraig," medda Wil.

"Y wraig?" gofynnodd Dai. "Wnest ti ddim be wedes i wrthot ti?"

"Wel do," medda Wil, "Fe roddes i hi dros fy nghôl, fe godes i ei ffrog hi lan yn araf, a pan o'n i ar fin rhoi smac iddi ar draws ei choese… brown… siapus… hyfryd… wedes i wrth fy hunan, jiw, dim ond y Gweilch ry'n ni'n ware ta beth!"

★ ★ ★

Charles

Ma cymeriadau fel Ŵan John, Bodffordd yn brin, gwaetha'r modd. Meddyliwch amdano fo'n deud ar sgwâr y pentra un pnawn ei fod o'n hapus os caiff o beint o gwrw, paced o fisgits, a ci. Ac un o'r hogia'n gofyn iddo fo, "Pam 'dach chi isio ci, Ŵan John?"

Ac medda fo, "Wel diawl 'chan, ma rhaid i rywun fyta'r bisgits."

★ ★ ★

Mary Jôs yn deud wrth Ŵan John un noson hwyr 'rôl iddo fo ddŵad adra'n feddw gaib, "Sgin i ddim cydymdeimlad o gwbwl efo rhywun sy'n mynd allan i yfad bob nos."

Ac medda fynta, "'Swn i'n medru fforddio yfad bob nos, 'swn i ddim isio dy gydymdeimlad di."

★ ★ ★

O Enau Plant Bychain

Dau hogyn bach yn siarad efo'i gilydd, ac medda un, "Ma dad fi'n well na dad chdi o lot."

Ac medda'r llall, "Ma mam fi'n well na mam ti o lot."

Ac medda'r cynta, "Ydy, dw i'n gwbod. Ma dad yn deud hynny hefyd."

★ ★ ★

Yr hogyn fenga 'cw, pump oed ydy o, yn rhuthro i'r tŷ a deud wrth ei fam, "Mam, fi 'di'r hogyn dela yn yr Ysgol Sul!"

A'i fam 'di synnu.

"Pam ti'n deud hynny?" medda hi.

Ac medda fynta, "Dw i newydd weld y lleill!"

★ ★ ★

Teulu Od

Teulu od? Ew, rhyfeddol o od. Ma mrawd yn cael affêr efo *agony aunt*.

★ ★ ★

Cymeriadau Bro

"Mi es i gael bwyd mewn caffi ym Mae Caerdydd," medda Derec Teiars wrtha i. "Mi ges i draed iâr ar dost. Ia, traed iâr ar dost! Byth eto, te, byth! Afiach! Pw! Afiach! Dim ond bara gwyn oedd ganddyn nhw!"

★ ★ ★

"Ma'r wraig 'cw yn real hen *spoilsport*," medda Tecs wrtha i. "Mi ddifethodd fy *stag party* i. Dyna lle roeddan ni'n disgwyl am y *blue movie* – ac mi oedd hi yn y ffilm!"

★ ★ ★

Fi a Nhw

"Hei," medda'r wraig un noson, "ma 'na lympia'n y finegar 'ma."

"Nag oes," medda fi. "Jar o nionod picl ydy hwnna."

Dydy hi ddim yn gwc da iawn. Fe losgodd hi'r can opener wsnos dwytha!

★ ★ ★

Byrion

Mi es at y meddyg ddoe, a deud bod fy nghoes dde'n brifo pan dw i'n codi yn y bora, ac medda fo, "Paid â chodi tan pnawn, ta."

★ ★ ★

Afal y Dydd

"Doctor," medda'r nyrs, "'dach chi'n gwbod y dyn 'na ddudodd wrthoch chi nad oedd unrhyw beth yn bod arno fo? Wel, mae o 'di marw ar y ffordd allan."

Ac medda'r doctor, "Trowch o rownd nyrs, ac mi ddudwn ni ei fod o 'di marw ar y ffordd i mewn."

★ ★ ★

Cymeriadau Bro

"Ew, mae'n damp yn tŷ ni," medda Joe. "Mor damp, mi gafodd y wraig ei brathu yn ei phen ôl gan chwadan noson o'r blaen. O, mi oedd y graduras yn rowlio mewn poen am oria. Na, does 'na ddim byd gwaeth na gweld chwadan yn rowlio mewn poen am oria, nag oes?"

★ ★ ★

Fi a Nhw

Dw i'n cofio nhad yn deud un bora, "Pryd ti'n mynd i dyfu fyny i fod fel dyn, d'wad?"

Mi oedd o'n siarad efo fy chwaer ar y pryd!

★ ★ ★

Dweud dy Ddweud

Dw i ar y trydydd mis o ddeiat pythefnos!

★ ★ ★

Ma'r wraig drws nesa'n edrach lot gwell... heb eich sbectol!

★ ★ ★

Afal y Dydd

Dw i'n diodda o *insomnia*. Dw i 'di cael tabledi coch, melyn, gwyrdd, glas, pinc a brown gan y meddyg. Dw i dal ddim yn cysgu lot, ond pan dw i'n gwneud, dw i'n breuddwydio mewn lliw!

★ ★ ★

Yn y Nic

Be ydy'r gwahaniaeth rhwng cath farw ar y lôn, a chyfreithiwr marw ar y lôn?

Mae 'na hoel brecio o amgylch y gath!

★ ★ ★

Os 'dach chi'n methu ffeindio cyfreithiwr sy'n nabod y gyfraith, ffeindiwch un sy'n nabod y barnwr.

★ ★ ★

Boi 'ma'n galw i mewn i swyddfa cyfreithiwr a gofyn faint fasa fo'n godi am ateb tri cwestiwn.

"O," medda'r cyfreithiwr. "Pum can punt."

"Bobol mawr," medda'r boi, "'di hynna ddim yn ddrud 'dwch?"

"Yndi," medda'r cyfreithiwr, "a be ydi'ch trydydd cwestiwn chi?"

★ ★ ★

Dweud dy Ddweud

Od, 'te. Ma ganddon ni tua 35 miliwn o gyfreithiau – i weithredu'r deg gorchymyn...

★ ★ ★

Bydded i chi fyw bob dydd fel petai yr un olaf... ac un diwrnod mi fyddwch chi'n iawn.

★ ★ ★

Câr dy gymydog... ond gwna'n siŵr bod ei gŵr hi i ffwrdd gynta...

★ ★ ★

Cymeriadau Bro

Mae ambell gymeriad yn ddoniol ar ei wely angau. Ffarmwr o Ros-goch yn Sir Fôn yn galw ei dri mab i ddŵad ato pan oedd ar fin anadlu ei anadl olaf. Un o'r meibion yn gofyn, "Be 'sach chi'n lecio, 'Nhad? Angladd traddodiadol, neu'ch crimetio?"

Ac medda'r hen fachgan, "Crimetio, ngwas i, ac anfon y llwch at y Canghellor, efo nodyn yn dweud, 'Ti wedi cael y blydi lot rŵan!'"

★ ★ ★

Dweud dy Ddweud

Pam ma dyn yn dŵad â blodau adra heb reswm? Am fod 'na reswm!

★ ★ ★

Y broblem o gyrraedd rhywle'n gynnar ydy does 'na goblyn o neb *yna* i werthfawrogi'r peth...

★ ★ ★

Mewn Glân Briodas

Ma ngwraig a fi'n hapus iawn yn ein bywyd priodasol. 'Dan ni'n deffro ganol nos yn aml iawn ac yn chwerthin ar ben ein gilydd.

★ ★ ★

Yr unig beth sydd gan fy ngwraig a fi yn gyffredin ydi ein bod ni wedi priodi ar yr un diwrnod!

★ ★ ★

Mae'n anodd gwybod y dyddiau yma pwy sy'n rhoi'r pleser mwya i barau – y gweinidog sy'n eu priodi, neu'r barnwr sy'n eu hysgaru!

★ ★ ★

Ma gan y gŵr 'cw ddwy bersonoliaeth wahanol, a dw i'n casáu'r ddwy!

★ ★ ★

Doris: Mavis, ti'n gwisgo dy fodrwy briodas ar y bys anghywir.
Mavis: Yndw, dw i'n gwbod. Mi wnes i briodi'r boi anghywir.

★ ★ ★

Ma bywyd priodasol yn od, o diar, od iawn! Yn y flwyddyn gynta ma'r gŵr yn siarad, a'r wraig yn gwrando; yn yr ail flwyddyn ma'r wraig yn siarad, a'r gŵr yn gwrando; yn y drydedd flwyddyn, ma'r ddau yn siarad, a'r bobl drws nesa'n gwrando!

★ ★ ★

Fi a Nhw

Cyn i ni briodi, ro'n i'n ei dal hi yn fy mreichiau. Ar ôl i ni briodi, dw i'n ei dal hi yn fy mhocedi!

★ ★ ★

Mi oedd Taid dipyn yn anghofus, ac mi oedd o'n lecio rhoi gair o gyngor i mi. Un diwrnod nath o fynd â fi i gornel… a ngadael i yno!

★ ★ ★

Charles

Tair dynas o Sir Fôn yn y chwedegau 'di ennill £75,000 ar y pŵls pêl-droed. Roedd un yn ferch ifanc, yn ddel ac yn rhywiol, un arall yn wraig weddw a'r llall yn hen ferch. Efo'r pres, dyma benderfynu prynu busnas 'Gwely a Brecwast' mewn tŷ mawr ar y ffordd allan o Amlwch, a hynny ddechra'r gaea. Roedd hi'n ddistaw ddifrifol. Neb yn galw. Ond un noson oer, stormus a glawog, dyma gnoc ar y drws. Panics llwyr, a dim un o'r dair yn siŵr be i neud na'i ddeud. Dyma'r hen ferch yn penderfynu mynd i agor y drws, ac ar ôl ei agor, mi welodd ddyn ifanc tal, hardd, golygus rhyfeddol (fatha fi!) yn sefyll yno, ac yn ei lais dwfn, melfedaidd, medda fo, "Oes 'na le i aros 'ma am noson, os gwelwch yn dda, madam?"

Mi fu bron i'r hen ferch gael trawiad yn y fan a'r lle, mi oedd hi 'di ecseitio'n lân. Dyma hi'n rhedag nôl at y ddwy arall, â'i gwynt yn ei dwrn, bron â methu siarad.

"D-d-d-d-dyn d-d-d-del d-d-d-drybeilig yn d-d-d-drws, g-g-g-genod. Y-y-y-y b-b-b-b-be n-n-n-nawn n-n-n-ni e-e-e-efo f-f-f-fo, 'd-d-d-dwch?"

Medda'r wraig weddw, a oedd yn llawer mwy tawel a phwyllog, "Wel, tyrd â fo i mewn o'r glaw i ddechra."

A dyma ddod â fo i mewn, deud bod 'na le iddo fo aros, mynd â fo i'w stafell, a rhoi popeth iddo fo. Y tair wedyn am rai munudau yn edrych ar ei gilydd fel tasan nhw wedi gweld drychiolaeth. Ynghanol y distawrwydd, dyma'r hen ferch yn mentro deud rwbath a oedd ar feddwl y ddwy arall hefyd, mae'n debyg.

"We-we-wel genod, tydio'n beth del? Ew, dw i ddim 'di gweld neb te-te-te-te-tebyg erioed yn 'y my-my-my-mywyd... Be nawn ni tasa fo'n codi yn nos, dŵad i'n stafall wely ni tra 'dan ni'n gorwedd yna, a rhoi cu-cu-cu-cu-cusan i ni? Ge-ge-ge-genod, mi fydd rhaid i ni gael arwydd i ddeud wrth ein gilydd yn y bora sa-sa-sa-sawl cu-cu-cu-cu-cusan 'da-da-da-dan ni wedi'i gael!"

"Wel," medda'r wraig weddw yn ei holl doethineb, "am bob cusan gawn ni, mi ddwedwn y gair 'bora'."

"O ia," medda'r hen ferch, "am bob cu-cu-cu-cusan dan ni'n gael, deud y gair 'bora' wrth ein gilydd."

Pawb yn cytuno, a mynd i'r gwely.

Bora wedyn, mi oedd y dyn diarth, y wraig weddw a'r ferch ifanc wrth y bwrdd brecwast, ac medda'r wraig weddw wrth y ferch ifanc, "Bora da, bora braf bora 'ma."

Ac medda'r ferch ifanc, "Bora da, mae'n fora braf

bora 'ma, ydi ma hi'n fora braf, os wnaiff hi fora fatha bora 'ma bora fory, mi fydd wedi gwneud tri bora braf."

Ar hynny dyma'r hen ferch yn dod i lawr, stopio ar hannar y grisia, a gweiddi nerth ei phen, "Tydy hi'n ddiawl o ddiwrnod!"

★ ★ ★

Pobol Drws Nesa

Mi oedd y bobol newydd a ddaeth i fyw drws nesa i ni'n deulu od iawn. John a Mary o Faesgeirchan yn rhwla, dw i'n meddwl – arfar byw mewn ardal ryff iawn, meddan nhw; plant yn cael profion cyffuriau dirybudd ar ôl bod yn chwara cuddiad. Ryff? Peidiwch â son, ga'th Mary ei mygio ar y ffordd i'r eglwys... gan y ficar.

Mi oedd ganddyn nhw gi o'r enw Poker. Roeddan nhw'n ei alw fo'n Poker am eu bod nhw wedi ei ennill o mewn gêm o *poker*, meddan nhw. Do'n i ddim yn eu credu nhw, so nes i ofyn i'w merch nhw, Bingo.

Doeddan nhw byth yn byta efo cyllell a fforc. O na, byth. Byta popeth efo'u bysadd. Roeddan nhw'n cymryd awr a chwartar i fyta swp.

Mi oedd 'na dair chwaer hefyd – Coco, Hazel a Brazil. Mi oeddan nhw'n *nuts*.

Hazel yn deud wrtha i un diwrnod ei bod hi'n cymryd *geometry* fel ail iaith yn yr ysgol, a bod 'na ddim papur sgwennu yn yr ysgol lle roedd hi'n arfer mynd.

"Oeddan ni'n gorfod sgwennu efo sialc ar lechi," meddai. "Doeddwn i ddim yn meindio rili, ond mi oedd rhai o'r plant yn brifo pan oeddan nhw'n llithro oddi ar y to."

Wna i byth anghofio'r diwrnod gawson nhw deledu yn y tŷ am y tro cynta. Bois bach, 'na chi beth oedd cyffro. Pawb o gwmpas y set am oria bob nos; ac mi oedd 'na fwy o gyffro byth pan gawson nhw lectrig… a lluniau.

Mi oedd y plant yn cael fitamins cyn mynd i'r ysgol

bob bora, B1 B2 a B ddistaw.

Roedd tad y plant yn ddyn diog iawn, iawn.

"Bron iddo fo gael gwaith fel dyn llefrith unwaith," medda Hazel, "ond yn ffodus iddo fo, mi wellodd y ceffyl."

"Mi gafodd sac o un job am ei fod o wedi stopio i jatio *prostitute* i fyny yn ystod oriau gwaith," meddai, "Ond dyna fo. Doedd o ddim yn lecio dreifio hers beth bynnag."

Mary yn dweud wrth Wil un amsar cinio, "Dw i isio cyw iâr i neud sandwijys."

Ac medda Wil, "Mi gei di ufflon o job, mi gymrodd dair blynadd i mi ddysgu'r bwji i siarad."

Pan adawodd un o'r merchaid i fynd i weithio i ffwrdd, dyma'i thad yn deud wrthi, "Cofia, Coco bach, ma 'na wely yma i ti bob amsar, jyst deud pan ti'n dŵad adra, a mi wna i hel y colomennod allan."

★ ★ ★

Cymeriadau Bro

Mewn eglwys y plwyf yn Ngheredigion rhywle, dyma'r Ficer yn gwneud cyhoeddiad:

"Neges yn fyr iawn y bore 'ma i chi sy'n rhoi botymau yn y casgliad. Ga i 'weud nad wyf yn erbyn y weithred hon, ond a fyddech garediced â rhoi eich botymau eich hunan, ac nid y rhai oddi ar gwshins y seddi."

★ ★ ★

Mewn Glân Briodas

Ges i'r sioc ryfedda un noson; mynd i 'ngwely a gweld yr arwydd ar nicyrs fy ngwraig: 'NEXT'.

★ ★ ★

Fi a Nhw

Dyddiau ysgol, dyddiau hapus? Wel, wn i ddim. Cofio yn y wers chwaraeon un diwrnod, dyma fi'n codi'r bêl i fyny ar yr asgell chwith, osgoi tair tacl i'r chwith a'r dde ac i'r chwith eto, gollwng y bêl o flaen fy nhroed a'i chicio reit rhwng y pyst o ugain llath. Pawb wedi rhyfeddu, o'n i mor falch – do'n i erioed 'di chwara criced o'r blaen…

★ ★ ★

Dweud dy Ddweud

Ma'r dyn 'cw mor ddi-asgwrn-cefn â *chocolate eclair*.

★ ★ ★

Dic ac Evelyn

Dydy bywyd priodasol Dic Yr Efail ac Evelyn Sgubor Fawr ddim yn llewyrchus iawn, fel y bydd Dic ei hun yn egluro.

"Mi oedd y briodas yn un dda iawn, ac mi oeddan ni mor hapus ag unrhyw bâr priod arall. Ond ar ôl torri'r gacen…"

Pres a dynion ydy'r broblam efo Eve. Roedd hi'n cofleidio rhyw foi mawr hannar awr ar ôl y briodas, ac medda Dic wrthi, "Fel hyn ma'i dallt hi? Hy! Dw i'n gwbod y cwbwl rŵan."

"O, wyt ti wir?" medda hitha. "Reit ta, pa bryd fuo Oliver Cromwell farw?"

Ac wedyn meddai ar yr un gwynt bron, "Dw i'n hapusach o fod yn wraig i ti rŵan nag erioed o'r blaen, achos ma nghariad i newydd ddeud ei fod o'n dy lecio di."

Ond erbyn heddiw, ma pethau 'di mynd yn llawer gwaeth. Dic yn penderfynu mynd ar ei wyliau i Sbaen ar ei ben ei hun. Evelyn wedi gadael nodyn yn ei gês dillad o, efo'r geiriau: "Cofia dy fod ti ddim ond yn mynd allan efo dynion, a mi dw i'n gaddo gwneud yr un peth."

★ ★ ★

Ma Dic yn hollol agored am ddiogi ei wraig.

"Diog? Peidiwch â sôn am ddiog," medda fo. "Mi heria i unrhyw un i ffendio gwraig arall sy'n golchi llestri 'rôl swpar yn ei gwely."

★ ★ ★

Ond pres ydy'r broblam fwya. Meddyliwch, ma hi'n anfon cardyn pen-blwydd bob blwyddyn iddo fo efo'r geiriau: 'Money Happy Returns.' Pan wnaeth Evelyn sylweddoli ei bod hi'n mynd i gael wyth deg mil o bunnoedd ar yr insiwrans pan fyddai Dic yn marw, mi steddodd hi o i lawr am ddwy awr a hannar, iddo fo gael rhoi rhesymau dilys pam y dylsa fo barhau i fyw!

★ ★ ★

"Ma rhai gwragedd," medda Dic, "yn gallu coginio, ond yn gwrthod. Ma Evelyn yn methu coginio, ond yn gwneud. Ei syniad hi o roi pryd syrpreis i mi ydi tynnu'r labeli oddi ar y tuniau!"

★ ★ ★

Dic yn cael ei ddeffro yn y nos gan ei wraig.

"Dic," meddai, "ma 'na leidr lawr grisia, a dw i'n siŵr ei fod o'n byta'r gacen siocled 'na nes i neud i ti."

"Dos yn ôl i gysgu," medda Dic. "'Na i gladdu fo'n bora."

★ ★ ★

Dic bob amsar 'di deud ei fod o am i Evelyn goginio ei bryd ola fo ar y ddaear.

"Wedyn," medda fo, "mi fydda i'n teimlo lot hapusach i farw."

★ ★ ★

Mi brynodd wely dŵr, i drio gwella petha yn fan'no. Hannar awr fuodd hi arno fo, a mi oedd o wedi rhewi'n gorcyn.

★ ★ ★

Mae o 'di magu dau o blant erbyn hyn, ond mae o'n cwyno drwy'r amsar, achos dydy o byth adra i'w gweld nhw. Mi ofynnodd yr athrawes yn yr ysgol i'w fab un diwrnod, "Beth sy'n dod ar ôl deg?"

Ac medda fynta, "Dyn drws nesa, Miss."

★ ★ ★

Fi a Nhw

Dw i'n cofio mynd i bictiwrs Llangefni efo Nain pan o'n i tua deuddeg oed, i weld y ffilm *The 10 Commandments*. Yn yr hysbysebion cyn i'r ffilm ddechra, mi oedd y ddau oedd yn ista o'n blaena ni wedi torri pump ohonyn nhw.

★ ★ ★

Mewn Glân Briodas

Sylwer bawb:
Dydy hi ond yn cymryd sibrwd rhyw ychydig o eiriau yn yr Eglwys, a 'dach chi wedi priodi. A dydy hi ond yn cymryd sibrwd rhyw ychydig o eiriau yn eich cwsg, a 'dach chi'n cael ysgariad.

★ ★ ★

Charles

Tomos Ifan, Rhos Bach, 87 oed, ar fin priodi Gwawr Lisa, 23 oed. Tomos yn mynd at Dr Glyn yng

Ngwalchmai am air o gyngor cyn y briodas.

"Wel," medda'r Doctor, "efo'r holl garu fydd ei angen ar ferch 23 oed, fe allai fod yn farwol."

"A, wel," medda Tomos, "os bydd hi farw, mi fydd hi farw."

★ ★ ★

Jac a Now, cymeriadau o'r pentra 'cw, ychydig ar ôl y Rhyfel, yn cael peint yn y Bull, ac medda Jac, "Now 'chan, welis di'r *advert* 'na yn y *Daily Post* ddoe? Deud oedd o bod 'na byb yn Lerpwl sy'n cynnig peint, pump o Woodbines, porc pei a dynas am ddau swllt?"

Ac medda Now, "Mmm, am y pris yna, ma'n siŵr na fydd llawer o gig yn y pei."

★ ★ ★

Mi oedd yr hen Tomos Robaich yn hoff iawn o'i beint. Anaml iawn, fodd bynnag, y bydda fo'n mynd yn bellach na Llangefni, rhyw ddwy filltir o'r pentra 'cw. Ond un noson, mi fentrodd i Fangor bell i hel ei draed. Dŵad adra o fan'no oedd y broblam. Mi aeth i'r orsaf drên yn feddw iawn, hwyr y nos, i drio cael trên adra o Fangor i Langefni. Mi fuo'n chwilio am rhyw awr, yna mi welodd drên yn dŵad i mewn, ac mi ofynnodd i'r portar, "Sgiwsh mi porter, sgiwsh mi plîs! Thanc iw feri mytsh. Ydy'r trên yma sy'n dŵad i mewn yn mynd i Langefni, plîs?"

"Nacdi, trên i Manchester ydy hon!" medda'r portar.

"O ia, dw i ddim isio mynd i fan'no adag yma o'r bora. Ha, ha," medda Tomos.

Ymhen hannar awr mi ddaeth trên arall i mewn, a Tomos Robaich yn gofyn eto i'r portar, "Trên Llangefni ydy honna, ta?"

"Naci, trên i Lundan di honna."

"O ia, ddim isio mynd i fanno chwaith. Cwîn 'di mynd i'r gwely, ma'n siŵr!"

Mi aeth hyn ymlaen am oria, a'r hen Tomos yn cael y trên rong bob tro. Tua chwarter i dri y bora, dyma 'na drên yn dŵad i mewn. Dim golwg o'r portar yn unman, felly mi aeth Tomos i mewn i'r trên, a chanu'n hapus braf. Pan oedd o ar fin ista, mi welodd ficar yn ista o'i flaen, ac medda Tomos wrtho fo, "Sgiws mi ficer, sgiws mi, welsoch chi fi'n dŵad i mewn i'r trên 'ma rŵan?"

"Do," medda hwnnw, "wrth gwrs y gwelais i chi'n dŵad i mewn i'r trên 'ma rŵan."

Ac medda Tomos, "Ydach chi'n fy nabod i, Ficer?"

"Na," medda'r ficar yn eitha blin, "dydw i ddim yn eich adnabod chi. Welais i erioed mohonoch chi o'r blaen."

"A!" medda Tomos, "sut oeddach chi gwbod, felly, mai fi ddaeth i mewn, ta?"

Ac medda'r ficer yn fwy blin byth, "Ma arna i ofn eich bod chi ar eich ffordd i Uffern."

"O, myn diawl!" medda Tomos. "Trên rong eto!"

★ ★ ★

Charles

Mi oedd Tomos Robaich wedi lapio ei hun rownd polyn *bus stop* yn Llangefni un noson, a finna'n mynd ato fo a gofyn, "Chi'n iawn, Tomos Robaich?"

"Yndw'n tad, Charles," medda fo. "Jyst bod y tai 'ma'n mynd rownd a rownd a rownd."

"O, diawch," medda fi. "Pam na ewch chi adra?"

"Na, mae'n olreit, sdi," medda fo. "Mi ddaw tŷ ni rownd toc."

★ ★ ★

Dyna i chi ddrama. A sôn am ddrama, plismon drama oeddan ni'n arfar galw'r plismyn oedd ar ddyletswydd yn ein pentrefi ni slawer dydd. Hen hogia iawn oedd y rhan fwya ohonyn nhw hefyd, er doeddan nhw byth yn hollol gartrefol mewn llys barn. Roedd plismon Gwalchmai yn Llys Ynadon Biwmares yn ceisio rhoi disgrifiad o'r helbul oedd o wedi'i gael hefo llanc ifanc rhyw nos Sadwrn. Rhwbath yn debyg i hyn yr aeth petha, a'r hen blismon yn darllen yn araf a phwrpasol.

"Mi oeddwn i'n cerdded lawr y stryd yng Nghaergybi am chwarter wedi un y bora, pan welais i'r cyhuddedig, oedd yn hollol amlwg yn feddw pan fu i mi ei wynebu, yn gweiddi ar dop ei lais, 'Everton for the cup!' Mi ddwedais wrtho am fod yn ddistaw, neu byddai'n rhaid i mi ei arestio." (Saib hir, ac edrych i fyny ar Fainc yr Ynadon.) "Ac mae ei ateb wedi ei sgwennu i lawr ar bapur a'i roddi i mewn i'r llys. Yna, dechreuodd weiddi'n uwch, ac fe'i rhybuddiais eto os na fyddai'n tawelu, y byddai'n cael ei gloi yn y gell dros nos." (Saib hir, ac edrych fyny ar Fainc yr Ynadon.) "Ac mae ei ateb wedi ei sgwennu i lawr ar bapur a'i roddi i'r llys. Yna, gofynnodd i mi beth oeddwn i'n ei feddwl o obeithion Everton o ennill y cwpan." (Saib fer, ac edrych fyny ar Fainc yr Ynadon.) "Ac mae fy ateb wedi ei sgwennu i lawr ar bapur a'i roddi i'r llys."

★ ★ ★

Charles

Neith Jini'r wraig 'cw ddim byta dim byd oni bai ei fod o wedi cael ei goginio mewn olew. Dydy hi ddim 'di colli pwysa, ond ma hi'n gwichian llai.

★ ★ ★

Mi oeddwn i a fy mam-yng-nghyfraith wedi bod yn hapus iawn am ugain mlynedd, a wedyn mi naethon ni gyfarfod. Na, sgin i ddim byd yn ei herbyn, ond mi wnaeth *peeping Tom* lleol guro ar y drws y noson o'r blaen a gofyn i ni gau'r cyrtans.

Mi es i at y doctor y diwrnod o'r blaen, a deud fy mod yn ffed yp ei bod hi'n chwythu mwg i ngwynab i.

"Wel," medda'r doctor, "ma lot o bobol sy'n smocio yn gwneud hyn."

"Falla wir," medda finna, "ond dydy hi ddim yn smocio."

★ ★ ★

Ma 'na rai straeon 'dach chi *isio* iddyn fod yn wir. Pwy a wŷr, falla'u bod nhw! Fatha'r stori am y boi pwysig 'na oedd efo clust ar ei dalcen, a'r glust arall ar gorun ei ben. Tri dyn yn cael sialens i weld pa mor sylwgar oeddan nhw wrth ei gyfarfod.

Y ddau gynta'n dweud yn syth, "Ma ganddo fo un glust ar ei dalcen, a'r llall ar ei ben."

Dyma'r trydydd i mewn.

"A, wel," medda fo, "mi 'dach chi'n gwisgo *contact lenses*."

"Bobol mawr," medda'r dyn, "mi 'dach chi'n hollol iawn, ond sut yn y byd oeddach chi'n gwybod hynna?"

"A!" medda fo. "*No way* 'sach chi'n gallu gwisgo sbectols efo'r clustiau 'na lle ma nhw!"

★ ★ ★

Mi o'n i ar dipyn o frys i gyrraedd y BBC ym Mangor un diwrnod, a finna 'di bod yn gweithio ar y ffarm yng Ngherrig Duon. Dyma fi'n gofyn i Bob Glan-llyn, tybad a faswn i'n dal trên tri o Langwyllog taswn i'n croesi ei gae o? Ac medda fo, "Os ydy'r tarw yn y cae Charlie bach, mi ddali di drên dau."

★ ★ ★

Fi a Nhw

Mi oedd Mam yn arfer smwddio fy sana, ac mi oedd

hi bob amsar yn deud, "'Sach chdi'n cael damwain, mi fydda pwy bynnag fydda'n tynnu dy sgidia di yn gwbod dy fod di o deulu da."

★ ★ ★

Panti Bet (Alun i'w fam), yr hen fêt, yn gweithio efo fi yn siop grosers Llangefni. Gweithio? Ha ha, 'na chi jôc dda! O diar! Mr Wilias y rheolwr yn deud wrtho fo un pnawn Sadwrn, pan oedd Panti ar fin mynd ar y beic i ddilifrio negeseuon i Bencraig, "Cofia, Alun," medda fo, "mi fyddi di'n pasio cae pêl-droed ar dy ffordd... wel, pasia fo."

★ ★ ★

Pan o'n i'n gweithio yn siop George Mason, grosers Llangefni, mi ges y sac am fod yn *cheeky*. Wel, be ddigwyddodd oedd, mi ddoth y ddynas 'ma i mewn a gofyn am sosejis.

"Faint 'dach chi isio?" medda fi. "Pwys? Dau bwys? Tri?"

"Dwy sosej, plîs," meddai.

"Be?" medda fi. "Dwy sosej? O diawl, 'sa'n well i chi gael tair, rhag ofn i chi gael fisitors?"

★ ★ ★

O Enau Plant Bychain

Mi oedd Bobby Hen Siop a fi'n eitha mêts. Efo Bobby o'n i'n lecio ista yn yr ysgol. Dyma Miss Hughes yn deud wrtho fo un diwrnod, "Pam, Bobby, 'dach chi ddim yn medru atab unrhyw gwestiwn?"

"Wel," atebodd Bobby, "taswn i'n medru, 'sa ddim rhaid i mi ddŵad i'r ysgol, na fasa?"

★ ★ ★

Charles

Mi oedd Tommy mrawd yn cadw siop y pentra ym Modffordd. Mi oedd o'n gwerthu popeth, o gaws i baraffîn. Mi oeddach chi'n gwbod pan oedd o 'di rhedag allan o baraffîn, achos mi oedd y caws yn blasu fatha caws. Mi oedd ganddo fo sbrowts yn hongian tu allan i ddrws y siop rownd y flwyddyn, a phob ci'n yr ardal yn gneud ei fusnas arnyn nhw. Roedd Tommy wrth ei fodd efo'r cymeriadau oedd yn dŵad i mewn i neud eu siopa.

Mary Ann, hen wreigan â llond tŷ o blant, yn gofyn iddo fo, "Tommy Willias, fasach chi ddim yn newid y *toilet rolls* 'ma am bump o Woodbines? Chi'n gweld, nath y fisitors ddim dod neithiwr."

★ ★ ★

Mi oedd Tommy mrawd yn flaenor ffyddlon iawn yn capel Gad, ac mi oedd yn athro Ysgol Sul gyda'r gora. Cofio unwaith am Aled, ei fab hyna'n gofyn iddo fo, "Dad, be ydy ystyr gonestrwydd?"

Ac medda Tommy, "Gonestrwydd, 'y ngwas i, ydy un o'r pethau pwysicaf wnei di ddysgu ar y ddaear yma. Dyma i ti enghraifft o onestrwydd; meddylia tasa Mrs

Hughes, Graig Bach, wedi prynu pâr o sgidia newydd i Emyr gin i bora yma, a bod y sgidia yn costio pum punt, a bod Mrs Hughes yn rhoi papur ugain punt i mi ar ddamwain, a mynd allan o'r siop heb sylweddoli ei bod hi felly wedi talu pymtheg punt yn ormod i mi. Rŵan, gonestrwydd ydy: a ydw i'n cadw'r pymtheg punt, neu ydw i'n ei rannu efo dy fam?"

★ ★ ★

O Enau Plant Bychain

"Wel, rŵan Arthur," medda'r athro. "Wyt ti wedi dysgu rhywbeth yn yr ysgol 'ma heddiw?"

"Nac 'dw," medda Arthur. "Dw i 'di bod yn gwrando arnoch chi, syr."

★ ★ ★

"Wel, rŵan Arthur," medda Jôs Gweinidog. "Petai dy fam yn rhoi dau afal i ti, a gofyn i ti roi un i dy frawd, fyddet ti'n rhoi yr un bach neu yr un mawr iddo fo?"

"Wel, Mr Jôs," medda Arthur. "Ydach chi'n golygu mrawd mawr, neu mrawd bach?"

★ ★ ★

Hen Wraig: Wel, Harri bach, be ydy enw dy frawd bach newydd?
Harri: Dw i ddim yn gwbod, dydy o ddim yn medru siarad eto.

★ ★ ★

Nain: Tyrd â sws i Nain am chwe cheiniog, Glyn bach.

Glyn: Chwech, Nain? Dw i'n cael swllt am gymryd ffisig Dr Hughes!

★ ★ ★

Mam: Chei di ddim mwy o jips, dydy o ddim yn dda i ti fynd i dy wely ar stumog lawn.

Glyn: Ond Mam, 'na i gysgu ar fy ochor!

★ ★ ★

Beryl: Mam, 'dach chi'n gwbod be dw i'n mynd i brynu i chi Dolig?

Mam: Nac 'dw i, be ti'n mynd i brynu i mi Dolig?

Beryl: Tepod.

Mam: Ond ma ganddon ni depod.

Beryl: Nag oes, dw i newydd ei ollwng o.

★ ★ ★

Cymeriadau Bro

Dau o hogia'r pentra'n mynd i bysgota, a tresmasu ar dir y sgweier. Plisman yn cael ei alw, ac medda fo, "Wnaethoch chi ddim darllen yr arwydd wrth yr afon?"

"Do," medda un, gan feddwl yn gyflym, "ond pan welis i'r gair 'Private', do'n i ddim yn lecio darllen mwy."

★ ★ ★

Afal y Dydd

Arthur: Ma'r doctor 'di deud wrtha fi am gymryd dwy dabled bob nos ar stumog wag.

Huw: Ti'n well?

Arthur: Na, dydyn nhw'n dda i ddim, ma nhw'n rowlio i ffwrdd!

★ ★ ★

Mam: Neithiwr, mi wnaeth y ferch 'cw ddisgyn allan drwy ffenest ei stafell wely.

Meddyg: Ydy hi wedi cael dolur?

Mam: Na dim rili, 'dan ni'n byw mewn bynglo.

★ ★ ★

Atab Da!

Wil: Mam, ma pawb yn yr ysgol yn fy ngalw i'n ben mawr.

Mam: Twt, twt, paid â chymryd sylw ohonon nhw. Rŵan dos i'r siop i nôl deg pwys o datws i mi yn dy gap.

★ ★ ★

O Enau Plant Bychain

Ifan: Mam, ga i fynd allan i chwara?

Mam: Be, yn y dillad yna?

Ifan: Naci, yn y parc.

★ ★ ★

Cymeriadau Bro

Dyma i chi hen stori, ond nid hen am eich bod wedi ei chlywad hi o'r blaen. Na, am ei bod hi wedi digwydd ym 1946. Dau ffarmwr yn llys oherwydd rhyw broblam roeddan nhw wedi gael efo'i gilydd. Dyma'r ffarmwr, nad oedd ganddo lawer o obaith ennill, yn gofyn i'w dwrnai, "'Dach chi'n meddwl taswn i'n anfon chwadan fach i'r barnwr, y bydd genna i fwy o siawns o ennill?"

"Bobol annwyl!" medda'r twrnai. "Peidiwch â meddwl ffasiwn beth! Tasach chi'n gwneud hynna, mi fyddach chi'n siŵr o golli. Fedrwch chi ddim breibio barnwr efo un chwadan, siŵr iawn."

Beth bynnag, ar ddiwrnod yr achos, mi enillodd. Roedd hyn yn sioc i bawb, yn enwedig i'w dwrnai.

"Wel wir, wn i ddim sut yn y byd enilloch chi," medda fo. "Doedd ganddoch chi ddim gobaith o gwbwl."

"O," medda'r hen ffarmwr, "mi wnes i anfon dwy chwadan i'r barnwr, a'u rhoi yn enw'r ffarmwr arall!"

★ ★ ★

Nôl Nôl Nôl

Weithia, ma edrach yn ôl yn boenus. Dro arall mae'n bleserus. Teimlada cymysg sydd gin i. Wrth edrach yn ôl mi fydda i'n rhyfeddu wrth gofio rhai petha, a meddwl sut yn y byd, a sut oedd peth a'r peth. 'Dach chi'n cofio steil dillad y 1960au, er enghraifft? Y sgert fini? Y? Mi oedd stamp dwy a dima'n fwy nag ambell un. Pan oedd y merchaid yn cerddad i lawr y stryd yn eu *mini skirt*, mi fydda penna'r hogia'n troi. 'Sa'r un merchaid yn gwisgo'r un sgert fini heddiw, mi fydda stumoga'r hogia'n troi.

A wedyn yr hysbysebion ar y teledu. Y? Cofio rheini? Cofio'r ddynas 'na efo sigarét yn ei cheg yn deud y frawddeg fythgofiadwy, 'Nothing satisfies me like a Camel'? Ma hysbysebion heddiw yn hollol hurt. Meddyliwch am 'Eight out of ten cats prefer it.' Sut ma nhw'n gwbod? Sneb 'di gofyn i'n cath ni!

A wedyn yr hysbyseb i hysbysebu papur tŷ bach! Medda'r llais rhywiol, "Silk an soft."

Silk and soft, fy nain! Pan o'n i'n blentyn, mi oedd papur tŷ bach ni, nid yn unig oeddach chi'n gallu ei ddefnyddio fo, mi oeddach chi'n gallu ei ddarllan o hefyd.

Pan o'n i'n blentyn ym Modffordd, mi oeddach chi'n cael ffish, tsips, pys, a potal o Vimto am *'one and nine'*. Be ydy hynna ym mhres newydd heddiw, 'dwch? Saith ceiniog a hannar? A be ydy pris tsips yn unig heddiw, heb y ffish? £1.20? Wel rŵan ta, mi oedd 'na wyth yn cael tsips yn tŷ ni ar nos Sadwrn. Ia, wyth! Mi fydda tsips i wyth wedi costio pedwar swllt i dad – ugain ceiniog mewn pres newydd. Heddiw, 'sa wyth bag o tsips yn costio £9.40, ac ro'n i'n meddwl y noson o'r blaen, be taswn i wedi mynd i siop tsips Winnie Welch yn Llangefni amser hynny a gofyn am werth £9.40 o tsips? Mi fasa isio berfa i'w cario nhw adra, a mi fasa Winnie Welch 'di medru cau'r siop a mynd ar ei gwylia am fis.

* * *

Fi a Nhw

Merchaid hefyd, 'te, o diar diar, y? Dw i'n dal i ffansïo merchaid ifanc heddiw, yn fy oed i, ond dw i ddim yn cofio pam chwaith. Pan o'n i'n mynd allan i Langefni ar nos Sadwrn efo Derec Teiars a Glyn Kesh, o'n i byth yn dda iawn am jatio merchaid i fyny. Roedd Glyn yn arfar deud, "'Sa gin ti gastanets yn dy drôns, 'sat ti ddim yn clicio, Wilias."

A dw i'n cofio mi oedd 'na dair merch efo'i gilydd yn y ddawns bob amsar – dwy ddel, a'r un ro'n i'n ei chael. Efo hogan o Sgubor Goch, Caernarfon, ges i'r gusan gynta. Cusan? Cusan? Pan roddodd ei thafod yn 'y ngheg, o'n i'n meddwl ei bod hi'n trio dwyn fy *chewing gum* i!

Cofio mynd â hogan arall adra, chwe mis wedi profiad y gusan, a hynny i Berffro un nos Sadwrn. Ia, cerddad saith milltir a chwartar o Langefni i Berffro, ac wedyn cerddad wyth milltir adra i Bodffordd, a ches i ddim hyd yn oed sws am fy mlistars, heb sôn am chwilio am *chewing gum*! Mi oedd cael bachiad, a mynd hi adra, a pheidio â swsian, yn bechod anfaddeuol. Ac i wneud petha'n waeth, mi oedd rhaid dangos bo chi wedi cael sws. Oeddan, mi oeddan ni yn nyddiau'r *lovebite*. O be wnawn i, a finna 'di mynd yr holl ffordd i Berffro, a dŵad adra heb *lovebite*? Dyma fi'n cael *brainwave*. 'Rôl mynd adra, dyma fi'n mynd i fyny'r grisiau'n ddistaw bach, ac i'r bathrwm. Fan'no roedd Dad yn cadw ei ddannedd gosod mewn gwydr. Dyma fi'n cau'r dannedd gosod yn dynn am fy ngwddw am dros ddau funud, er mwyn i mi gael clais glas-ddu go iawn. Deffro'n bora, edrach yn y drych, wel, mi o'n i mor falch! Y *lovebite* dua welsoch chi erioed. Mam yn sylwi amser brecwast, a roedd hi reit falch o'r *lovebite* hefyd, ac meddai, "O, Idris bach, mi gest gariad neithiwr, dwi'n gweld!"

Ac medda finna'r un mor falch, "Do, Mam!"

Dyma Mam yn edrach yn fwy manwl ar y *lovebite*.

"Wel, wel, dyna biti," meddai. "Biti mawr hefyd."

"O, biti be?" medda fi. "Biti be, Mam?"

"Y greduras fach," meddai, "wedi colli dau ddant yn y tu blaen, fatha dy dad."

★ ★ ★

Fi a Nhw

Enillais i hogan mewn raffl yn yr ysgol unwaith. O'n i'n meddwl mai fi oedd carwr gora Sir Fôn, nes i mi sylweddoli fod gan y gryduras asthma.

★ ★ ★

Cymeriadau Bro

Dilwyn Pierce (*Da 'di Dil 'de*) yn deud 'thaf i, bob tro roedd o'n mynd i briodasau, mi oedd yr hen bobol yn deud wrtho fo, "Chdi fydd nesa Dilwyn, o ia, chdi fydd nesa."

A Dilwyn, medda fo, yn cael un yn ôl pan yn mynd i angladda, a deud wrth yr hen bobol, "Chi fydd nesa, Mrs Jones, o ia, chi fydd nesa."

★ ★ ★

Charles

Dwy ddynas yn siarad efo'i gilydd.

"Ti'n gwbod be, Jen? Mi welis i rywun heddiw do'n i ddim 'di gweld ers ugain mlynedd."

"Dydy hynna'n ddim byd," medda Jen. "Welis i rywun ddoe do'n i 'rioed 'di gweld o'r blaen."

★ ★ ★

Gwraig weddw a hen ferch yn ista ac edrach allan ar y môr yn Llandudno. Dyma'r wraig weddw'n dechra crio'n afreolus.

"O, be sy'n bod, neno'r Tad?" medda'r hen ferch. "Pam 'dach chi'n crio?"

"Wel," medda'r wraig weddw, "bedair blynedd i heddiw mi o'n i'n claddu ngŵr cynta. Dair blynadd i heddiw ro'n i'n claddu'r ail. Ddwy flynadd i heddiw ro'n i'n claddu'r trydydd a heddiw ro'n i'n claddu'r pedwerydd."

A dyma'r hen ferch yn dechra crio.

"O diar, pam 'dach *chi*'n crio?" gofynnodd y wraig weddw.

"Meddwl o'n i," meddai honno, "pa mor annheg ydy bywyd. 'Dach chi'n methu dod i ben â llosgi'ch gwŷr, a dw i methu cael yr un."

★ ★ ★

Cymeriadau Bro

Dyn yn mynd i mewn i dafarn, a mi oedd o'n cario llygoden fach yn ei boced dop. Aeth at y bar ac archebu dau wisgi – un iddo fo, ac un lawr ei boced i'r llygoden. Hyn yn mynd ymlaen drwy'r nos – dau wisgi – un iddo fo ac un lawr ei boced i'r llygoden. O dipyn o beth, mi aeth y dyn yn feddw, ac mi ddechreuodd ffraeo a chega efo'r barman, a hwnnw'n deud, "Os na fyddi di'n bihafio a chadw'n ddistaw, mi fydda i'n dy daflu allan i'r stryd."

Mi gynhyrfodd y dyn yn arw, ac medda fo (ac erbyn hyn y wisgi oedd yn siarad), "Yli boi, os ti isio ffeit i setlo hyn, tyrd allan efo fi rŵan. Mi gawn ni weld pwy ydy'r bos."

Ac ar hyn, dyma'r llygoden yn popio ei phen allan o'i boced, ac meddai, "Hic… ia, a tyrd â dy fflipin gath efo chdi!"

★ ★ ★

Fi a Nhw

Ma merchaid heddiw am y gora i fod yn dena. *Size zero?* Ew, rhowch ferch efo digon o fraster i mi bob amsar. Cofio caru am fisoedd efo Hilda o Niwbwrch, yr hogan anwylaf fu mi efo hi erioed, ac mi oedd gynnon ni un peth pwysig yn gyffredin. Mi oeddan ni'n lecio byta, a byta a byta, ac o'r herwydd, mi oeddan ni'n dau'n eitha mawr. Wel, a bod yn hollol onast, mi oeddan ni'n dau'n ddiawledig o dew. Mi oedd hi wedi meddwl gadael cartre unwaith, ond roedd y rhewgell yn rhy drwm. Mi oeddan ni mor dew, pan oeddan ni'n mynd i mewn i lifft, roedd rhaid mynd i lawr.

★ ★ ★

Cofio caru ar wely mewn gwesty unwaith, a mi losgis fy mhen ôl ar y bwlb ar y nenfwd.

★ ★ ★

Cofio caru efo hi yng nghar mini melyn nhad un noson ar lan môr yn Cabel Bay, ac medda hi, dan deimlad serchus, chwyslyd, "Cymra fi… cymra fi i gyd, Idi!"

"Wel, Hilda… fawr," medda finna. "Mi wna i ngora cariad, ond mi fydd 'na ddarn go fawr ohonat ti'n sticio allan drwy'r ffenast."

★ ★ ★

Mi oeddwn i'n meddwl mai tafleisydd oedd nhad tan o'n i tua deg oed, achos pan oedd o'n gwylltio, mi oedd o'n siarad efo'i geg ar gau! Ia, yr un fath yn union â *ventriloquist*.

"Idris, lle ti 'di bod?"

Ac wedyn o'n i'n cael clustan (slap) efo pob sill.

"Lle. Ti. 'Di. Bod?"

"Wedi bod yn cae ffwtbol, Dad."

"Yn cae ffwtbol efo pwy?"

"Efo John Glyn, Dad."

Wel, dychmygwch yr holl sillafau. A'r holl glustanau. Mi es i chwara ffwtbol i Lanfairpwllgwyngyllgogerychwyrndrobwllllantisilogogogoch efo Mared Eluned, David Tŷ Isa, John Glyn, Branwen Llan, Ifan Paap a Dic Graig Fawr unwaith, ond nes i ddim deud wrtho fo. A beth oedd yn od oedd, pan fyddwn i'n dŵad adra'n hwyr o rwla, mi fydda nhad yn disgwyl amdana i wrth y drws ffrynt, ac wedyn yn deud wrtha fi, "Dos i nôl rhwbath i mi dy hitio di efo fo," a finna fel ffŵl yn mynd!

★ ★ ★

Ac wedyn pan oedd o 'di gwylltio, mi oedd ei wynab o'n troi'n biws, ac mi oedd o'n anghofio pwy oedd o.

Mi fydda fo'n deud, "Wyt ti'n gwbod pwy ydw i?"

Ac wedyn mi oedd o'n anghofio pwy oeddwn i. Mi oedd o'n deud, "A pwy ti'n meddwl wyt ti, ta?" Od te?

★ ★ ★

Mi oedd Mam, fel pob mam arall, yn deud y petha rhyfedda. Fel plentyn ar y pryd, do'n i ddim yn ei dallt hi.

"Idris, ti 'di molchi'n lân?" neu, "Idris, sbia ar dy glustiau!"

Wel, sut yn y byd mawr crwn o'n i'n gallu gwneud hynny? Ac wedyn deud, "Idris, cau dy geg a byta dy fwyd!"

Cau ngheg a byta mwyd? Sut, Mam? Hefyd, "Os ei di ar goll yng ngwaelod pentra 'na heddiw, mi gei chwip din pan ddoi di adra."

A'r glasur – ma pob mam wedi deud hyn, "Os wnei di syrthio oddi ar ben y wal 'na, a thorri dy ddwy goes, paid â rhedag ata i!"

Ma dylanwad Mam ar fy chwaer yn amlwg. Ma ganddi gi o'r enw Sit. Dychmygwch sut ma'r ci druan yn teimlo pan ma rhywun yn gweiddi arno fo, "Come here Sit! Sit, come here! Sit, go away! Sit!"

Cradur bach. Mi oedd gan fy chwaer gi arall tua naw mlynadd nôl, a wyddoch chi be oedd ei enw fo? Idris. Do, mi alwodd y ci yn Idris. Iawn, dim o'i le ar hynny, nes iddi ofyn i Ceri, fy ngwraig, a fi edrach ar ôl y ci tra oedd hi a'i gŵr ar wyliau. Pythefnos fuodd Idris, y ci gwyllt, gwirion acw. Wir i chi, mi oedd pobol drws nesa'n meddwl bod Ceri'n mynd yn boncers, achos welon nhw mo'r ci, a'r cyfan oeddan nhw'n ei glywad drwy walia'r tŷ oedd Ceri'n gweiddi, "Idris, tyrd i lawr oddi ar y soffa! Idris, paid ag yfad dŵr y toiled! Idris, paid â gwneud dy fusnes ar y carpad! Idris, paid â llyfu ngwynab i! Idris, lle ma dy golar di, i mi gael mynd â chdi am dro i'r parc? Idris, paid â rhoi dy drwyn yn y gath!"

★ ★ ★

Dweud dy Ddweud

"Ma'ch llygada chi'n atgoffa fi o fy rhieni – agos iawn at ei gilydd."

★ ★ ★

Charles

Dydach chi ddim angen llyfr jôcs pan ma ganddoch chi gymeriadau fel cymeriadau chwarel.

Dau o'r hogia'n herio'i gilydd amser cinio yn y chwarel, ac un yn sefyll ar y peiriant pwyso cerrig a gofyn i'w fêt, "Faint dw i'n bwyso heddiw, Huw?"

Ac medda Huw, "Tair tunnall a hannar wyt ti, Dic."

"Dew!" medda Dic, "dw i 'di colli hannar tunnall ers dydd Merchar felly."

Adag tlawd iawn oedd cyfnod y streic; dim pres, felly dim llawer o fwyd, ac medda Mary wrth Dic un noson, "Wel, Dic bach, 'sna ddim byd yn y cwpwrdd, be gawn ni i swpar d'wad?"

Ac medda Dic, "Berwa ddau ornament i'r diawl!"

Pedwar o'r hogia wedi cael diwrnod eithriadol o galed yn y chwaral, ac am gael gorffwys answyddogol. Dyma nhw'n mynd i ista'n ddistaw yn un o gytiau'r chwarel, ac medda un hogyn, a oedd dipyn fengach na'r lleill, "Be ddudwn i wrth y fforman os ddaw o yma?"

Ac medda un o'r dynion, "Wel, deud 'tho fo sa ddim lle iddo fo, te!"

★ ★ ★

Mary Ifas, hen ferch 61 oed o'r pentra 'cw, yn deud wrth Y Parchedig Edyrn Williams, y gweinidog, fod y dyn llefrith wedi camfihafio efo hi un bora.

"A wyddoch chi be, Mr. Williams?" meddai. "Ma'r profiad yn mynd rownd a rownd yn fy mhen i bob nos a dydd."

"Wel, wir," medda'r gweinidog, "fasa ddim yn well i mi alw ar y meddyg i ddod i'ch gweld chi?"

"Na na, mae'n olreit," medda Mary, "ma'r peth yn gwella bob rownd, diolch yn fawr!"

★ ★ ★

Fi a Nhw

Ffarmwr yn gofyn i nhad unwaith, "Oes 'na rywun yn eich teulu chi wedi priodi'n dda, Charles?"

Ac medda nhad, "Dim ond y wraig 'cw!"

★ ★ ★

Cymeriadau Bro

Glyn Kesh yn deud wrthaf i, "Ma gin i jôc i ti, Willias. Gei di ddeud hon. Y boi 'ma wedi betio ar geffyl o'r enw MFI, reit. Dallt, ceffyl o'r enw MFI. Gofyn i mi rŵan, Willias, os nath y ceffyl o'r enw MFI ennill."

"Wnaeth y ceffyl o'r enw MFI ennill?" gofynnis i.

"Naddo," medda Glyn. "Dwy ffyrlong allan, nath ei ddwy goes ôl o ddisgyn i ffwrdd!"

★ ★ ★

Charles

Mi oeddwn i wedi bod yn chwara'r cymeriad Harri Parri ar *Pobol Y Cwm* ers rhyw ddeng mlynadd, pan gefis i'r profiad rhyfedda, a hynny yn Aberystwyth. O'n i 'di mynd i'r archfarchnad 'ma, ac mi sylwais drwy gornel fy llygaid fod 'na ddynas yn fy nilyn i bob man, ac yn rhyw syllu arna i. Wel, o'n i 'di mynd i deimlo'n ddigon anghyfforddus. Pan oeddwn i mewn cornel yn chwilio am rywbeth oer i'w yfed, dyma hi'n dod i fyny ata i, edrych i fyw fy llygaid a deud, "Chi ydy o, te? Ia Tad, mi faswn i'n 'ch nabod chi'n rhwla."

"Wel," medda finna braidd yn swil. "Ia, fi ydy o."

"Mi oeddwn i'n gwybod pan welis i chi'n dod i fewn," medda honno wedyn. "Pa bryd ydach chi'n dod i orffen peintio'r bathrwm 'cw?"

★ ★ ★

Cymeriadau Bro

Mi es i wneud cyngerdd ym Mhontarddulais i Radio Cymru un noson. Do'n i erioed 'di bod yno o'r blaen, felly dyma fi'n gofyn i'r dyn 'ma oedd yn sefyll yn disgwyl býs, "Fedrwch chi roi cyfarwyddiadau i mi i neuadd y dref, os gwelwch yn dda?"

"Nawr te, fachgen," medda fo. "Cer lan yr hewl, a thro i'r with, yna cer lawr y tyle, a tro i'r with. Dere i'r rowndabout a tro i'r with, wedyn tro i'r with yn y T-junction."

Ac medda finna, "Os wna i hynna, mi fydda i nôl fan hyn."

Ac medda fo wrth bwyntio i ochor arall y lôn, "'Itha reit, gwd boi, ma fe draw man'na!"

★ ★ ★

O Enau Plant Bychain

Jac: Dad, pa bryd ydach chi'n mynd i wneud y tric 'na?

Dad: Pa dric, ngwas i?

Jac: Chi ddudodd, os basa Mrs Jôs Tŷ Capal dal yma ar ôl hannar awr wedi naw, y basach chi'n mynd i fyny'r wal!

★ ★ ★

Plentyn yn chwara ar lan môr efo'i daid, ac medda fo, "Taid, wnewch chi gicio'r bwcad 'ma, plis? Achos ma Mam yn deud, ar ôl i chi gicio'r bwcad, gawn ni fynd i Florida!"

★ ★ ★

Byrion

Mi rois i fath i'r gath neithiwr. Roedd hi jyst yn ista ynaa yn dawel, yn mwynhau pob munud. Doedd o ddim yn hwyl, mi oedd y blew yn glynu ar fy nhafod i!

★ ★ ★

Gwirion

Dau gi'n siarad efo'i gilydd. Un yn dweud wrth y llall, "Wff wff!"
A'r llall yn atab, "Miaaaw!"
Ac medda'r cynta, "Miaaaw? Pam miaaaw?"
Ac medda'r llall, "Dw i'n dysgu ail iaith!"

★ ★ ★

Dweud dy Ddweud

'Dan ni'n byw mewn ardal posh. Posh? Peidiwch â sôn! Ma hyd yn oed y Samariaid yn *ex-directory*!

★ ★ ★

Gwirion

Gêm bêl-droed bwysig, falle gêm bêl-droed fwya'r ganrif! Anifeiliaid Mawr yn erbyn Anifeiliaid Bach, efo Gwyn Pierce Owen yn dyfarnu ar Ffordd Farrar, Bangor. Fel y basach chi'n disgwyl, yr Anifeiliaid Mawr oedd yn rheoli petha'n hawdd am yr ugain munud cyntaf. Y Jiráff yn sgorio dwy efo'i ben, a Tarw Nefyn yn cadw trefn ar yr amddiffyn. Er, mi faglodd o'r Ceiliog Glas yn y blwch cosbi hefyd.

"Foul play," medda Gwyn, a rhoi cic o'r smotyn.

Ond methu o'r gic wnaeth y Sliwan. Mi lithrodd jyst cyn cymryd y gic, ac mi oedd yn hawdd i'r Octopws yn y gôl ei dal yn lân efo'i law law law law law law law law. Mi gafodd y ddau Eliffant eu hel nôl i'r stafell newid gan Mr Owen i newid eu *trunks* am *shorts*, fatha pawb arall. Oherwydd hynny, mi bwdodd y Camel – un am gael yr hymp oedd o, beth bynnag. Mi oedd y Mochyn Bach a'r Llygoden Wen ar yr esgyll yn ôl y sylwebydd Nic Parry, yn 'wich'! Beth bynnag, ar yr hanner, y sgôr oedd Anifeiliaid Mawr 9, Anifeiliaid Bach 0.

Ond, mi drodd pethau er gwell yn yr ail hanner, ac ar ddiwedd y gêm, er mawr syndod i bawb, yr Anifeiliaid Bach a orfu o 22 i 9. Y goliau i gyd yn cael eu sgorio gan y Neidr Gantroed. Mewn cyfweliad ar ôl y gêm, gofynnodd Dylan Ebenezer i'r Neidr Gantroed pam nad oedd wedi chwarae yn yr hanner cyntaf, ac meddai, "Ro'n i'n dal i roi fy sgidiau ar fy nhraed!"

★ ★ ★

Dweud dy Ddweud

Dydy ngwraig i byth yn dweud celwydd am ei hoed. Ma hi'n dweud wrth bawb ei bod hi'r un oed â fi, a wedyn ma hi'n dweud celwydd am fy oed i.

★ ★ ★

Ma ngwraig i'n dweud wrth bawb iddi gael ei geni yn 1967, sy'n hollol wir, wrth gwrs. Ond, beth dydy hi *ddim* yn ei ddweud ydi mai rhif y stafell oedd 1967.

★ ★ ★

Byrion

Gwraig Noah yn dweud, "Gwna'n siŵr bod yr eliffantod ddim yn copïo'r cwningod."

★ ★ ★

Fi a Nhw

Wrth fynd o gwmpas y wlad efo Tony ac Aloma a Derec... Derec? Pwy ydy Derec? Wel, cyfaill annwyl iawn, iawn. Roedd yn gitarydd ardderchog ar y pryd. Wna i ddim dweud dim mwy na hynny, neu mi fydd plant Ysgol Y Berwyn, Bala, ac aelodau Cwmni Theatr Ieuenctid Maldwyn yn gwbod at bwy dw i'n cyfeirio! Mi oedd ganddon ni barti Noson Lawen – Parti T.A.I.D. – sef Tony, Aloma, Idris, Derec. Hwyl? Peidiwch â son! Na, wna i ddim! Cofio mynd i Neuadd y Dref, Pwllheli unwaith – Pwllheli'n un o'r llefydd gorau i gynnal Noson Lawen, a dw i'n cofio ma Mr Polycolf oedd llywydd y noson, gan mai fo oedd Maer y dre. Mi roddodd wahoddiad i ni'n pedwar fynd i'w gartra i gael swpar. Mi oedd Mr Polycolf yn ista wrh ochor Aloma, ac medda fo wrthi mewn Cymraeg glân, gloyw, "Iff ai cisd iw Aloma, wd iw blysh?"

Ac medda Aloma, "Iff ai pwld iwyr tshen, wd iw fflysh?"

★ ★ ★

Mi oedd Aloma yn un gyflym ei thafod, atab parod i bopeth. Dw i'n cofio dreifio fy *sports car* coch unwaith, a hithau wrth fy ochor, a phan oeddan ni yng nghanol y wlad a dim byd ond gwarthaig a defaid o'n cwmpas, medda hi mewn llais dwfn, serchus, rhywiol, "Idris, fedri di ddreifio efo un llaw?"

"Wel, medra," medda fi, wedi cynhyrfu'n lân.

Ac medda hitha, "Sycha dy drwyn, ta!"

★ ★ ★

Pan oeddwn i'n gwerthu hufen iâ wrth Gastell Caernarfon yn y 1960au, mi ddois i'n dipyn o ffrindia efo Dongo. Ma pawb yng Nghaernarfon yn nabod Dongo. Yn y 1990au cynnar, a finna newydd ddechrau sylwebu ar gêmau pêl-droed, mi oeddwn i'n digwydd bod yn sylwebu yn yr Oval, Caernarfon. Pwy welis i'n dod i fyny'r grisiau i'r pwynt sylwebu ond fy hen gyfaill, Dongo. Ar ôl stopio hanner ffordd, dyma fo'n gweiddi dros y cae, "Be ti'n neud, Idris Charles? Pregethu?"

Ac mi ddoth i ista efo fi.

"Tîm gwael ydy rhein, Idris Charles. Ma'r pwyllgor am roi *lighters* iddyn nhw ar ddiwedd y tymor, achos eu bod nhw wedi colli cymaint o *fatches*."

Wedyn, mi ofynnodd gwestiwn i mi: "Ti'n gwbod y rasus beics sydd ar S4C, Idris Charles? Pam ma nhw'n neud o?"

"Be ti'n feddwl, pam ma nhw'n neud o?" medda fi.

"Wel, ti 'di gweld y rasus? Ma nhw'n mynd ar y beics am lot o amsar. Fyny a lawr elltydd, lawr a fyny, fyny a lawr, a haul poeth ar eu hwyneba nhw. Dim bwyd, dim cysgu, a hynny am filltiroedd a milltiroedd. Pam ma nhw'n neud o, Idris Charles?"

"Wel, Dongo," medda fi, "ras ydi hi, te? Ac ma'r enillydd yn cael deugain mil o bunnoedd."

"Dw i'n gwbod hynny," medda fo. "Ond pam ma'r lleill yn ei wneud o?"

★ ★ ★

Charles

Mi oedd John Jones o Bodffordd 'cw yn dipyn o gymeriad. John Jones Cariwr oedd y llysenw arno, am ei fod yn cario blawd o felin Bodffordd. Mi oedd 'na ychydig o gryndod yn ei lais pan oedd yn siarad efo chi, a bob amsar yn dechrau siarad drwy ddweud, "Hoa!"

Dyma stori hollol wir amdano.

Mi oedd merch John Jones a Mary ei wraig, wedi cael babi yn ysbyty Dewi Sant, Bangor, ac Arthur, gŵr eu merch, yn galw yn eu cartref i'w gweld 'rôl dod adra o'r ysbyty. Medda John Jones pan welodd Arthur, a'i lais yn crynu, "Hoa, wel Arthur, be gest ti?"

"Hogyn, John Jones."

"Hoa, hogyn, Arthur? Ydy o'n beth del, Arthur?"

"Yndy wir, digon del wir, John Jones."

"Hoa, a tebyg i bwy ydy o, Arthur?"

Ac ar hyn, dyma Mary, oedd yn aml yn tynnu ei goes, yn codi ei sgert a dawnsio o'i gwmpas, a deud ar dop ei llais, "Wel, tebyg i'n teulu ni wrth gwrs."

"O'r Nefoedd," medda John Jones, "bodda fo ffordd gynta!"

★ ★ ★

Ro'n i'n arfar byw'n un o dai cyngor Bodffordd 'cw. Dew, mi oeddan nhw'n dai gwael. Y walia mor dena… mor dena. Os oedd gin i gur pen, a Glyn Rowlands drws nesa'n cymryd aspirin, mi on i'n teimlo'n well. Ond, mi oedd y cyfnod mor braf, ac mi oeddwn i'n cael amsar da efo'r cymeriadau o'm cwmpas i. Cymrwch Ifan Evans oedd yn byw dros ffordd i ni. Mi oedd Ifan Evans yn medru troi ei law at bopeth, ac mi oedd o'n dipyn o arddwr hefyd. Mi oedd ei ardd o a'n gardd ni gefn wrth gefn, ochr yn ochr, y ddau derfyn yn cyffwrdd. Dw i'n cofio Ifans yn plannu blodau yn yr ardd un pnawn Sadwrn, ac mi oedd o hefyd yn labelu'r blodau, er mwyn cadw llygaid arnyn nhw. Dyma fi'n deud, "Be ydach chi'n blannu fan'na, Ifans?"

"Rhosod, Willias," medda fo.

"Wel dewcs, Ifans," medda fi, gan fentro dipyn, "nid rhosod ydi rheina, ond *chrysanthemums*."

"Naci, neno'r tad," medda fo, "dw i'n gwbod digon am arddio i wbod mai rhosod ydy nhw."

"O dewcs annwyl, Ifans," medda finna. "Dw i'n gwbod digon am arddio hefyd i wbod mai *chrysanthemums* ydyn nhw."

"Rhosod ydyn nhw," medda fo, a dal i sgwennu.

"*Chrysanthemums*," medda finna.

"Rhosod," medda fo, yr un mor benderfynol.

"Wel, Ifans, gwrandwch arna i, dw i'n gwbod mai *chrysanthemums* ydyn nhw."

A dyma fo'n edrach arna i, rhoi y label yn fy llaw a deud, "Sgwennwch chi fo lawr, ta."

"Ia, wel," medda finna, "falla mai rhosod ydyn nhw!"

★ ★ ★

Stori wych i chi. Teithio ar hyd tyrpaig yn Sir Fôn rhwng Pentre Berw a Rhostrehwfa oeddwn i. Mi oedd 'na ddwy leian wedi rhedeg allan o betrol, ac mi oeddan nhw wedi cerddad yr holl ffordd i garej Milburn yn Gaerwen i nôl peth. Ond, yn anffodus, doedd ganddyn nhw ddim byd i gario'r petrol ynddo, heblaw am bot! Ia, pot dan gwely! Pan welis i nhw, mi oeddan nhw'n tywallt y petrol i mewn i'r car, a dyma fi'n gweiddi wrth basio, "Dw i ddim yn meddwl llawer o'ch crefydd chi, ond myn diawch, dw i'n edmygu eich ffydd chi!"

★ ★ ★

Mi oedd Lisi a Huw wedi bod yn briod ers trigain mlynedd. Dyma Huw'n deud wrth Lisi, "Beth am i ni fynd i garu i'r union le y gwnaethon ni garu efo'n gilydd am y tro cynta, i ddathlu'r trigain mlynedd?"

"Ti'n cofio lle oedd hynny?" medda Lisi.

"Yndw, tad," medda fo, "gwaelod cae isa Tŷ Du."

Ac i ffwrdd â nhw, ar yr union ddyddiad, i'r union fan, ar yr union amsar. Dyma ddechra caru. Mi ddechreuodd Huw ysgwyd allan o bob rheolaeth, a Lisi'n trio ei stopio, ac meddai, "Huw bach, be sy'n bod, ddyn? Doeddach chi ddim fel hyn drigain mlynedd nôl!"

"Na," medda fo, yn dal i grynu. "Doedd y ffens 'ma ddim yn lectrig drigain mlynedd nôl, chwaith!"

★ ★ ★

Cymeriadau Bro

Mike Doyle glywis i'n deud am y dyn 'ma aeth at y meddyg i gael ymchwiliad, a hwnnw yn ei anfon i'r ysbyty am fwy o ymchwiliadau. Darganfod fod ganddo afiechyd prin iawn, mor brin, doedd yna ddim enw iddo eto.

"Mi rydan ni, o hyn ymlaen, yn mynd i gyfeirio at eich salwch chi fel X137," medda'r meddyg. "Gwnewch yn fawr o'ch bywyd, does ganddoch chi ond tri mis i fyw."

Mi aeth nôl adra at ei fam, a deud wrthi beth oedd

arno, a bod ganddo dri mis i fyw.

"Wel," medda hi, "ma rhaid i ti wneud be ma'r meddyg yn ei ddweud – gwneud yn fawr o dy fywyd. Rhaid i ti ddod efo fi i'r Bingo heno."

"Ond Mam, dw i erioed wedi bod mewn gêm Bingo o'r blaen," medda fo.

"Tyrd," medda honno, "mi gei di lot o hwyl."

Gêm gynta am linell, mi enillodd. Dim gwên o gwbl ar ei wyneb.

Yr ail gêm am linell arall, mi enillodd. Dim gwên eto ar ei wyneb.

Gêm tŷ llawn, mi enillodd. Eto, dim gwên ar ei wyneb. Mi aeth hyn ymlaen drwy'r nos.

Hanner awr wedi naw – gêm fawr y noson. Dros chwarter miliwn o bunnoedd yn y jacpot. Mi oedd angen carden llawn o 43 rhif i ennill. Mi oedd popeth wedi mynd yn dda iawn yn y gêm yma hefyd, ond mi oedd angen un rhif arall arno i ennill y wobr fawr – rhif 32. Mi alwyd 33, 31, 30. Yna, y galwr ar y llwyfan yn cyhoeddi, "Dyma'r rhif ola sy'n cael ei roi yn y gêm fawr am chwarter miliwn heno. A dyma fo… tri deg dau."

Sgrech gan ei fam! Pawb yn cymeradwyo! Pawb yn ei longyfarch! Ond eto, dim gwên ar ei wyneb. Dyma'r galwr ar y llwyfan yn dweud wrtho, "Dw i erioed wedi gweld neb tebyg i chi. 'Dach chi wedi ennill popeth yma heno, ac eto sdim gwên wedi bod ar eich hwyneb chi drwy'r nos."

A dyma'r dyn yn codi ar ei draed, a chyhoeddi ar dop ei lais, "Ma gen i X137."

Ac medda'r galwr, "Wel, myn diawl, ti wedi ennill y raffl hefyd!"

★ ★ ★

Charles

Mi oeddwn i'n ffrindia mawr efo Glyn Pensarn, cymeriad hoffus ac actor arbennig iawn. Roeddan ni'n treulio lot fawr o amsar efo'n gilydd. Mi oedd Glyn yn un o'r rhai gora am ddweud straeon. Mi oedd 'na ddynas yn Amlwch, medda fo, oedd yn siarad drwy'i thrwyn, ac mi oedd 'na gymeriad yn byw drws nesa iddi na wnaeth strôc o waith yn ei ddydd. Roedd yr olwg ryfedda ar yr ardd, ac medda hon wrtho fo, rhyw ddiwrnod, "Welis i ddim dyn fatha chi erioed. Naddo, yn fy mywyd, welis i ddim dyn fatha chi erioed."

Ac medda fynta nôl, "Welis i ddim dynas fatha chitha, chwaith."

"O," medda hi, "a be sy'n bod arna i, felly? Be sy'n bod arna i?"

Ac medda fynta nôl, "'Dach chi'n siarad drwy'ch trwyn, a cheg mor fawr gynnoch chi!"

★ ★ ★

Byrion

"Dad, ga i wisgo bra? Dw i'n bymtheg oed rŵan."
"Na chei. A paid â gofyn i mi eto, Gordon."

★ ★ ★

Cymeriadau Bro

Americanwr yn y 1960au yn galw am betrol mewn garej fach wledig yn ardal Niwbwrch. Wedi iddo fo gael ei betrol, dyma fo'n gofyn i berchennog y garej, "Have you got an airline?"

"Airline?" medda hwnnw. "Airline myn uffarn i, we haven't even got a train station here."

★ ★ ★

Sais yn gofyn i Oliver yn Holland Arms, "How do you go from here to Holyhead Harbour, my friend?"

Ac medda Oliver, "My brother takes me."

★ ★ ★

Byrion

"Ti'n gwbod y brwsh toiled wnest di brynu i mi Dolig? Gei di fynd â fo nôl, achos dw i'n mynd nôl i iwsio papur."

★ ★ ★

Charles

Yr hen JR, Mochdre, glywis i'n dweud y stori yma ora. Cymeriad o Fochdre, medda JR, wedi cael gwaith gan y cyngor i edrach ar ôl toiledau Llandudno. Mi fuodd yn y gwaith am dair blynadd yn ddi-stop. Gweithio saith diwrnod yr wythnos, deg awr y ddydd, a JR yn gofyn iddo fo os oedd o wedi cael gwyliau.

"Gwyliau? Be, holides felly?" medda'r dyn.

"Wel, ia," medda JR. "'Dach chi, fel pawb arall, yn haeddu gwyliau. Ewch draw i swyddfa'r cyngor a gofynnwch am wyliau."

JR yn ei weld ymhen tair wythnos, yn ista mewn *deckchair*, hances am ei ben, yn gwisgo crys-T, siorts ac yn bwyta hufen iâ. JR yn gofyn iddo be oedd o'n ei wneud.

"Wel," medda fo, "mi es draw i swyddfa'r cyngor, a deud mod i isio gwyliau. Mi ges lythyr nôl yn dweud y cawn bythefnos o wylia."

Ac medda JR, "Wel, pam ydach chi yn fan hyn?"

"A," medda fo, "ma'r llythyr yn dweud, 'Take them at your own convenience'."

★ ★ ★

Byrion

Dw i ddim yn hoffi hedfan. 'Dach chi 'di gweld yr arwydd pan 'dach chi'n cyrraedd y Maes Awyr? Ia hwnnw – 'TERMINAL'.

★ ★ ★

O Enau Plant Bychain

Glyn Owens glywis i'n deud y stori yma, a'i deud hi'n dda oedd o, hefyd. Felly, bobol Sir Ddinbych, Glyn sy'n deud, nid fi.

Dau o hogia ysgol gynradd yn siarad efo'i gilydd amsar cinio. Un yn deud, "Dad fi ydy'r dyn cyflyma'n y byd. Mae o'n saethu gwn, rhedag i'r ochor arall, a dal y fwled yn ei geg."

Ac medda'r llall, "Dad fi ydy'r cyflyma. Ma Dad fi'n gweithio i Gyngor Dinbych. Mae o'n gorffan gwaith am bump, ac mae o adra am hanner awr wedi tri."

★ ★ ★

Afal y Dydd

Mi es draw i Ysbyty Glan Clwyd i weld ffrind i mi oedd 'di bod i mewn ers tair wsnos, a dyna lle roedd o'n ista wrth ei wely yn edrach yn ddigalon iawn.

"O, be sy?" medda fi. "Pam ti'n edrach mor ddigalon?"

"O," medda fo, "dw i wedi cael *piles*. Y cês gwaetha ma nhw erioed wedi ei weld yn yr ysbyty yma."

A dyma finna'n gofyn mewn cydymdeimlad llwyr, "Dyna pam ti'n ista ar y *beanbag* mawr gwyrdd 'na?"

Ac medda fo, "Dw i ddim yn ista ar *beanbag* gwyrdd."

★ ★ ★

Byrion

Sut mae gwylanod môr yn gwbod bo chi 'di cael crys glân?

★ ★ ★

Charles

Charles: Dew, TC Simpson! Sut ydach chi?!
Simpson: Wel, go lew ydw i, Charles, te. Go lew.

Charles: Be sy, felly?

Simpson: Wel, y wraig a finna 'di bod yn Llandudno pnawn 'ma, Charles. A pan oeddan ni'n cerddad ar y prom, dyma un o'r gwylanod môr 'na'n gwneud ei busnes ar 'y nghrys newydd i, a hwnnw'n un pinc. A dyma'r wraig 'cw'n deud, 'Brysiwch ddyn! Papur!' Papur? medda finna, ma'r wylan yn Abergele erbyn hyn!

★ ★ ★

Dweud dy Ddweud

Yr amsar gora i ddyn ddŵad yn dad ydi pan mae o'n wyth deg pump oed. Yn yr oed yna, mae o'n codi wyth gwaith y nos, beth bynnag!

★ ★ ★

Charles

Rhosllannerchrugog. Ardal ddiwylliannol ryfeddol. Corau a chapeli ym mhob man. A beth am Y Stiwt uffa'n? Ac yno hefyd, Tom a Morian, dau ddigrifwr doniol iawn. Ond mae 'na gymeriadau ffraeth yn y Rhos hefyd. Dynion caled y pyllau glo oedd rhan fwyaf o ddynion y pentra. Ma 'na stori am broblem yn Yr Hafod. Y penaethiaid yn amau fod rhai o'r dynion yn dwyn celfi o'r pwll. Mi alwodd un o'r Ymchwilwyr yn nhŷ Harri a Bronwen Parri. Harri yn ei flwyddyn olaf yn y pwll cyn ymddeol. Medda un o'r dynion diarth pwysig y tu allan i'r drws wrth Bronwen, "Fe hoffem, os gwelwch yn dda, gael gair gyda Mr Harri Parri. Rydym wedi darganfod fod llawer iawn o gelfi'r pwll ar goll, megis bwcedi, welingtons, helmedi a chotiau, ac rydym yn amau fod Mr Parri yn un o'r lladron."

"Bobol y ddaear," medda Bronwen. "Wel, chlywis i ffasiwn beth. Wel hei, fasa fo ddim yn neud hynna, ma fo'n mynd i capal mawr bob Sul, ac Ysgol Sul pan fedrith, 'te. Ac ma fo'n canu yn côr Colin fatha angel, a dydy o ddim yn yfat na smocio, 'te. Wel hei, be sy ar dy ben di i ddeud bod fo wedi dwgyd? Fasa fo ddim yn dwgyd bwcedi a welingtons a helmets a cotiau."

Ac medda'r Ymchwiliwr eto, "Ydy Mr Parri i mewn?"

"Wel," meddai Bronwen, "ma fo yng ngwaelod yr ardd yn gweithio yn y sied."

Wrth i'r ddau ddyn diarth ddechrau cerdded tuag at yr ardd, dyma Bronwen yn gweiddi arnyn nhw, "Mae'n ffordd bell i gerdded; cymrwch reid ar y *conveyor belt*."

★ ★ ★

Dweud dy Ddweud

Wel, dyna fo, ble bynnag ydan ni mewn bywyd, fan'no ydan ni, te!

★ ★ ★

Fi a Nhw

Bob tro roeddan ni'n mynd ar wyliau, mi oedd 'y ngwraig yn mynd yn feichiog. Wedyn, mi wnes i benderfynu bo ni'n mynd efo'n gilydd.

★ ★ ★

Mewn Glân Briodas

Os ydw i'n mynd adra am ddeg o'r gloch y nos o'r gwaith, wedi diwrnod a hanner o waith caled, a darganfod fod y swper yn boeth ar y bwrdd, potel o win coch mewn bwced arian, y goleuadau'n isel, a cherddoriaeth swynol ramantus Wil Tân yn ddistaw yn y cefndir, dw i'n gwybod… fy mod i'n y tŷ anghywir.

★ ★ ★

Tro dwetha i'r wraig a fi fynd allan efo'n gilydd oedd pan ganodd y larwm tân yn y gegin!

★ ★ ★

Fi a Nhw

Dw i wedi bod yn briod rŵan ers wyth mlynedd ar hugain, ac ma pobl yn gofyn beth sy'n gwneud priodas hir, hapus. Wel, yn syml, mynd allan unwaith yr wythnos am bryd o fwyd rhamantus. Ma *hi*'n mynd nos Lun, a dw *i*'n mynd nos Wener.

★ ★ ★

Dweud dy Ddweud

Mi wnaeth fy ewyrth farw yn ei gwsg… mewn consart Val Doonican.

★ ★ ★

Charles

Athrawes newydd yn dŵad i'r ysgol fach 'cw fis yn ôl, ac fel pob athrawes dda, yn ceisio creu argraff ar y plant.

"Wel, blant," meddai, "dw i wedi bod yma ers

wythnos erbyn hyn, a dw i wedi bod yn eich gwylio chi'n fanwl iawn. Nawr te, rydw i am i chi fory ddod ag anrheg i mi i'r ysgol, a dw i am i chi ei lapio'n dda, ac mi wna i wedyn geisio dyfalu beth yw'r anrheg."

Y diwrnod wedyn yn yr ysgol, mi ddaeth y plentyn cynta at yr athrawes, sef merch y dyn oedd yn cadw siop flodau'r pentra.

"Wel, Belinda, dw i'n dyfalu mai blodau ydy'r anrheg," meddai.

Wrth gwrs, roedd y ferch fach wedi rhyfeddu.

Yr ail blentyn oedd mab y siop felysion.

"Diolch, Andrew," meddai'r athrawes, "dw i'n dyfalu mai bocs o siocled yw'r anrheg."

Andrew eto wedi rhyfeddu.

Wedyn mi ddaeth Ianto, ac mi oedd yr athrawes wedi sylwi mai cadw tafarn oedd tad Ianto. Pan ddaeth y bocs, roedd diferion yn gollwng drwy'r gwaelod. Dyma'r athrawes yn rhoi ei bys o dan y diferion, a'u blasu yn ei cheg.

"Wel, Ianto," meddai, "*Babycham* ydy'r anrheg yma."

"Naci Miss, 'dach chi'n anghywir," medda Ianto.

Dyma'r athrawes yn profi'r diferion eto.

"A!" meddai'n awdurdodol. "Potel o *rum* ydy'r anrheg. Ie, diferion potel o *rum* ydy rhain."

"Naci Miss, chi'n rong eto," medda Ianto.

Dyma'r athrawes yn profi'r diferion am y trydydd tro.

"Wel, yn wir," medda hi, "dw i'n hollol sicr y

tro hyn. Potel o *gin*. Ie, heb os nac oni bai, *gin* yw'r diferion."

"Naci wir," medda Ianto.

"Wel, wir, dw i'n un dda iawn am adnabod blas pethau fel arfer. Dwedwch wrtha i Ianto, beth sydd yn y bocs?"

Ac medda Ianto, "Ci bach, Miss."

★ ★ ★

Dydy Camp Mona yn Sir Fôn 'cw ddim ond tafliad carrag go dda o'n tŷ ni ym Modffordd. Ac ar y *runway*, fel bydda ni'n ei alw, roedd peilotiaid o RAF Fali'n ymarfer glanio. Mi gafodd un o'r peilotiaid yma dipyn o broblemau yn yr awyr, ac mi fu'n rhaid iddo adael yr awyren mewn parasiwt, wir i chi. Ond pan oedd o ar y ffordd i lawr, mi basiodd Mrs Jôs Tŷ Capel o ar y ffordd i fyny, ac meddai'r peilot wrthi, "'Dach chi'n gwbod rhwbath am *aeroplanes*?"

"Nagdw – dim," medda hitha. "Ydach chi'n gwbod rwbath am *gas stoves*?"

★ ★ ★

Ddwywaith y flwyddyn, mi oedd hogia Bodffordd yn cael mynd i RAF Fali i ddysgu sut i ddisgyn yn ddiogel. Ma 'na stori am un o hogia'r pentra yn mynd un flwyddyn, ac mi gafodd fwy na'i siâr o broblemau. Mi fyddach chi'n gallu disgrifio ei brofiadau mewn dau air – ffodus ac anffodus. Dyma'r stori'n llawn.

Mi neidiodd allan o'r awyren, ond yn anffodus, wnaeth y parasiwt ddim agor. Ond yn ffodus, mi welodd das wair oddi tano. Ond yn anffodus, mi oedd 'na bicwarch yn sticio i fyny yn y das. Yn ffodus, mi fethodd o'r bicwarch, ond yn anffodus, mi fethodd o'r das wair hefyd.

★ ★ ★

Dweud dy Ddweud

Mi es i am un ar ddeg mlynedd unwaith heb fynd allan efo merch. Ac wedyn, ar fy mhen-blwydd yn ddeuddeg – we hei! Lwc owt!

★ ★ ★

Mewn Glân Briodas

"Problema merchaid efo'r wraig acw," medda Dewi Dwll wrtha i. "Be wna i, Idris? Dw i 'di cael pedwar o blant, a rŵan ma'r wraig 'cw 'di cael y peth 'na!"

"'Di cael pa beth 'na?" medda fi.

"Wel, ti'n gwbod," medda fo, "yr *ex directory*, te."

"O, hwnnw," medda fi. "Mi fydd petha lot gwell rŵan, wsti."

"Ma doctor 'di deud y bydd rhaid iddi gael rhyw bum gwaith yr wsnos os ydy hi am wella," medda fo.

"Wel, be ti 'di ddeud am hynny?" medda fi.

"O, dw i 'di deud wrthi'n barod i roi fy enw fi i lawr i wneud dwy waith!"

★ ★ ★

Dweud dy Ddweud

Dw i wedi cyrraedd yr oed rŵan, pan dw i'n plygu lawr i wneud rhywbeth, dw i'n meddwl wrtha fy hun, "Be arall alla i wneud tra dw i lawr yma?" (George Burns)

★ ★ ★

Cymeriadau Bro

Dynes yn mynd at y dyn bach, hen yr olwg a oedd yn ista'n dawel mewn cadair siglo y tu allan i ddrws ei dŷ.

"Roeddwn i'n methu peidio â sylwi arnoch chi'n eistedd fan'na, pa mor hapus yr ydych chi'n edrych. Beth yw cyfrinach byw'n hen?"

"Wel, dw i'n smocio tri paced o ugain sigarét y dydd," medda fo. "Dw i hefyd yn yfad crât o wisgi yr wythnos. Dw i'n bwyta digon o fwyd seimllyd, a dw i ddim yn gwneud unrhyw ymarfer corff o gwbwl."

"Ma hyn yn rhyfeddol," medda'r ddynes. "Faint ydy'ch oed chi?"

"Oed?" medda fo. "Dau ddeg chwech."

★ ★ ★

Dweud dy Ddweud

Y gyfrinach er mwyn cadw'n ifanc ydy byw bywyd gonest, bwyta'n araf ac yn iach, a dweud celwydd am dy oed.

★ ★ ★

Dw i wedi gweld y ffilm *Titanic* gymaint o weithiau. Rŵan, dw i'n gwylio'r ffilm am yn ôl, a'i gweld hi'n codi.

★ ★ ★

Byrion

Dau ddyn efo'i gilydd yn y gwely, ac medda un wrth y llall, "Dw i'n lecio dim ar y *wife swapping* 'ma."

CYFRES TI'N JOCAN

hiwmor
DAI JONES

CYFRES TI'N JOCAN

hiwmor
LYN EBENEZER

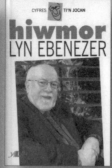

CYFRES TI'N JOCAN

hiwmor
Y CARDI

Emyr Llywelyn

CYFRES TI'N JOCAN

hiwmor
IFAN TREGARON

Ifan Gruffydd

CYFRES TI'N JOCAN

hiwmor
SIR BENFRO

Mair Garnon

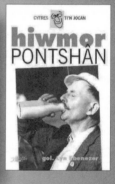

CYFRES TI'N JOCAN

hiwmor
PONTSHÂN

gol. Lyn Ebenezer

CYFRES TI'N JOCAN

hiwmor
SIR GÂR

Peter Hughes Griffiths

CYFRES TI'N JOCAN

hiwmor
PWS

Dewi Pws

Mynnwch y gyfres i gyd!

CYFRES  TI'N JOCAN

HIWMOR DAI JONES	£3.95
HIWMOR LYN EBENZER	£3.95
HIWMOR Y CARDI	£4.95
HIWMOR IFAN TREGARON	£3.95
HIWMOR SIR BENFRO	£3.95
HIWMOR PONTSHÂN	£3.95
HIWMOR PWS	£3.95
HIWMOR SIR GÂR	£4.95

Am restr gyflawn o lyfrau'r wasg,
mynnwch gopi o'n Catalog newydd, rhad
– neu hwyliwch i mewn i'n gwefan

www.ylolfa.com

i chwilio ac archebu ar-lein.

TALYBONT CEREDIGION CYMRU SY24 5AP
e-bost ylolfa@ylolfa.com
gwefan www.ylolfa.com
ffôn (01970) 832 304
ffacs 832 782